中华人民共和国国家标准

煤炭洗选工程设计规范

Code for design of coal cleaning engineering

GB 50359 - 2016

主编部门：中　国　煤　炭　建　设　协　会
批准部门：中华人民共和国住房和城乡建设部
施行日期：2　0　1　7　年　4　月　1　日

中国计划出版社

2016　北　　京

中华人民共和国国家标准

煤炭洗选工程设计规范

GB 50359-2016

☆

中国计划出版社出版发行

网址：www.jhpress.com

地址：北京市西城区木樨地北里甲11号国宏大厦C座3层

邮政编码：100038　电话：(010) 63906433（发行部）

三河富华印刷包装有限公司印刷

850mm×1168mm　1/32　5印张　123千字

2017年3月第1版　2018年11月第2次印刷

☆

统一书号：155182·0057

定价：30.00元

中华人民共和国住房和城乡建设部公告

第 1265 号

住房城乡建设部关于发布国家标准《煤炭洗选工程设计规范》的公告

现批准《煤炭洗选工程设计规范》为国家标准，编号为 GB 50359—2016，自 2017 年 4 月 1 日起实施。其中，第 2.0.7、4.3.2、5.3.8、5.4.4、6.2.5、6.2.6、7.3.1、14.1.1、14.5.2(2)条(款)为强制性条文，必须严格执行。原国家标准《煤炭洗选工程设计规范》GB 50359—2005 同时废止。

本规范由我部标准定额研究所组织中国计划出版社出版发行。

中华人民共和国住房和城乡建设部

2016 年 8 月 18 日

前　言

本规范是根据住房城乡建设部《关于印发〈2011年工程建设标准规范制订、修订计划〉的通知》（建标〔2011〕17号）要求，由中国煤炭建设协会勘察设计委员会、中煤科工集团北京华宇工程有限公司会同有关单位对原国家标准《煤炭洗选工程设计规范》GB 50359—2005进行修订的基础上完成的。

本规范在修订过程中，修订组总结了近年来煤炭洗选工程新工艺、新技术、新设备的应用情况，并经过广泛调查研究、征求意见，最后经审查定稿。

本规范共分18章和1个附录，主要内容包括总则，基本规定，受煤与原煤储存，筛分、除杂与破碎，选煤，脱水、防冻与干燥，煤泥水处理，产品储存与装车，矸石与煤泥综合利用，计量与煤质检查，机电设备修理，工业场地总平面，地面运输，电气，给水与排水，供暖与通风，建筑物与构筑物，技术经济等。

本次修订的主要内容包括：

1.增加了特大型选煤厂厂型、新设备的选型参数、特殊情况下工艺布置的原则规定。

2.修改了工作制度、设备选型不均衡系数、在籍系数。

3.增加了对厂址选择的要求。

4.将“标准轨距铁路运输”一章改为“地面运输”，并增加了运输方式选择和地面运输及其他运输方式的规定。

5.对选煤厂供电负荷分级进行了详细规定。

6.删除了涉及选煤厂防火的相关条文。

本规范中以黑体字标志的条文为强制性条文，必须严格执行。

本规范由住房城乡建设部负责管理和对强制性条文的解释，

中国煤炭建设协会负责日常管理工作，中煤科工集团北京华宇工程有限公司负责具体技术内容的解释。本规范在执行过程中，请各单位结合工程实践，认真总结经验，如发现需要修改或补充之处，请将意见和建议寄交中煤科工集团北京华宇工程有限公司（地址：北京市西城区安德路67号，邮政编码：100120），以便今后修订时参考。

本规范主编单位、参编单位、主要起草人和主要审查人：

主 编 单 位：中国煤炭建设协会勘察设计委员会
中煤科工集团北京华宇工程有限公司

参 编 单 位：中煤科工集团平顶山选煤设计研究院
煤炭工业太原设计研究院

主要起草人：吴 影 陶能进 李明辉 侯甫志 杨晓慧
石剑峰 张之立 周国军 吴心静 仇汉江
孙经伦 李新峰 邓晓阳 张启林 周少雷
曹 鹰 张剑锋 王松成 付 勇 钟彦廷
周邦禄

主要审查人：戴少康 纪金连 孟凡贞 马福廷 洪 霆
李定明 刘延杰 冯景涛 邵一谋 吴 睿
王建中 王志杰 韩学曾 王双高 毕孔耜
刘 毅

目　　次

Contents

1 总 则

1.0.1 为了在煤炭洗选工程设计中贯彻执行国家技术经济政策，统一和规范煤炭加工利用技术和工程建设标准，提高煤炭利用品质、合理利用资源、满足节能环保和安全生产要求，制定本规范。

1.0.2 本规范适用于新建、改建及扩建的煤炭洗选、储配煤工程的初步可行性研究、可行性研究和设计。

1.0.3 煤炭洗选工程应推广洁净煤技术。动力煤应加工后销售。

1.0.4 煤炭洗选工程的初步可行性研究、可行性研究和设计除应符合本规范外，尚应符合国家现行有关标准的规定。

2 基本规定

2.0.1 选煤厂厂型及设计生产能力宜符合表2.0.1的规定。

表2.0.1 厂型及设计生产能力

厂　　型	设计生产能力(Mt/a)
特大型	10.00、12.00、15.00及以上
大型	1.20、1.50、1.80、2.40、3.00、4.00、5.00、6.00、8.00
中型	0.45、0.60、0.90
小型	0.30及以下

注:原煤量按干基计算。

2.0.2 选煤厂工作制度应为年工作330d。每天工作时间应以原煤储存设施为分界点,原煤储存设施后宜为16h;原煤储存设施前,矿井、群矿选煤厂应与矿井提煤时间相同,其他类型选煤厂可为16h。

2.0.3 选煤厂的服务年限应符合下列规定:

1 矿井选煤厂的服务年限应与矿井相同。

2 群矿选煤厂的服务年限应与服务年限最长的矿井相同。

3 用户选煤厂的服务年限应与主体项目相同。

4 其他类型选煤厂的服务年限应根据具体情况合理确定。

2.0.4 选煤厂各环节设备处理能力不均衡系数的选取应符合下列规定:

1 原煤储存设施前应在额定小时能力的基础上,按下列规定选取:

1) 矿井来煤时,从井口到原煤储存设施的设备处理能力应与矿井最大提升能力一致。

2) 由标准轨距车辆来煤时,受煤坑到原煤储存设施设备处理能力的不均衡系数不宜大于1.50;当采用翻车机卸煤时,原煤储存设施前设备的处理能力应与翻车机能力相适应。

3)由汽车来煤时,原煤储存设施前设备的处理能力应与汽车受煤或汽车卸煤能力相适应。

2 原煤储存设施后应在额定小时能力的基础上按下列规定选取:

1)重介悬浮液系统应取1.15,煤泥水系统应取1.35,矸石系统应取1.50。

2)煤流系统,采用块、末煤分级入选工艺时,应取1.25;其他工艺应取1.15。

2.0.5 煤炭洗选工程咨询、设计阶段应对煤炭资源的稀缺、特殊性进行评价。稀缺、特殊煤类应全部洗选;稀缺、特殊煤炭资源应按优先用途进行保护性利用,并应限制其作为燃料直接利用。

2.0.6 群矿和矿井选煤厂的电源、热源、水源和公共设施应与所在矿井统一设计。

2.0.7 选煤厂必须实现洗水闭路循环。

2.0.8 环境保护、劳动安全、工业卫生、消防、节能设施等工程应与主体工程同时设计、同时施工、同时投产。

3 受煤与原煤储存

3.1 受 煤

3.1.1 受煤坑或浅受煤槽的设计应符合下列规定：

1 受煤坑或浅受煤槽的有效长度，窄轨侧、底卸矿车可采用列车长度的1/3～1/2；标准轨距车辆来煤可根据实际卸车需求确定。

2 准轨列车来煤时，受煤坑的有效容量可为设计车组的净载重量；浅受煤槽宜满足受煤要求，对储存容量可不作要求。

3 准轨来煤的受煤坑或浅受煤槽上应设置调车设施。

4 标准轨距车辆除底开车外，应设置卸车设施。

5 汽车来煤时，不宜直接卸入储煤场，宜采用受煤坑受煤，单个受煤坑的有效容量不宜小于单车运量的2倍。

6 受煤坑上宜设置300mm×300mm的铁箅子。当接受含有大于300mm特大块来煤时，应设置大块物料处理设施。

3.1.2 当采用标准轨距翻车机时，翻车机受煤仓容量不应小于一次卸载车辆净载重的2倍。

3.2 原煤储存

3.2.1 选煤厂应设原煤储存设施。原煤储存设施的形式应根据要求的原煤储量、原料煤来煤方式以及场地地形、工程地质情况和其他要求，经技术经济比较后合理确定。当入选煤层多，煤质变化大时，宜设混煤场或其他均质化设施。

3.2.2 原煤储存和均质化设施总容量应根据选煤厂设计生产能力、运输、市场等条件确定，并应与产品仓容量统筹确定。原料煤与产品煤储量之和宜为3d～7d设计生产能力，且原料煤储存量不得低于矿井1d的设计生产能力。

3.2.3 当大容量原料煤储煤设施为旁路设计时，宜设置不小于8h设计能力的在线原料煤储存仓。原料煤储存仓宜布置在井口来煤与原煤准备车间之间。

3.2.4 选煤厂、储配煤场应减少露天储存原煤；在人口集中的城镇附近的选煤厂、储配煤场，应采用封闭方式储存原煤；其他选煤厂、储配煤场在露天储存原煤时，应采取防风抑尘措施。

4 筛分、除杂与破碎

4.1 筛　　分

4.1.1 最终筛分的粒度应根据煤质、选煤工艺和用户要求，经综合技术经济比较后确定，并应符合现行国家标准《煤炭产品品种和等级划分》GB/T 17608 的规定。预先筛分、准备筛分的粒度和效率应根据工艺需要确定。

4.1.2 选煤厂常用筛分设备的处理能力可按表 4.1.2 选取或采用厂家提供的保证值。

表 4.1.2 常用筛分设备处理能力

设备名称	筛分方法	筛分效率η(%)	处理能力[t/(m²·h)]										
			筛孔尺寸(mm)										
			200	150	100	80	50	25	13	6	1.5	1	0.5
圆振动筛	干法	>85	150～240	120～150	100～120	80～90	40～50	—	—	—	—	—	—
倾斜式直线振动筛	干法	>85	—	—	—	—	40～50	30～40	15～25	7～10	—	—	—
		>60	—	—	—	—	—	40～50	20～30	10～15	—	—	—
	湿法	>85	—	—	—	—	—	—	—	14～20	12～18	10～15	7～10
水平式直线振动筛	干法	>85	—	—	—	—	30～40	15～20	7～10	4～6	—	—	—
		>60	—	—	—	—	—	20～30	10～15	7～10	—	—	—
	湿法	>85	—	—	—	—	—	—	—	12～16	10～14	9～12	6～8

注：1 干法筛分的处理能力，当水分大于或等于 7%时取偏小值，当水分小于 7%时取偏大值。

2 筛分效率和处理能力成反比，筛分效率高时处理能力低。

4.2 除　　杂

4.2.1 选煤厂不宜采用人工拣矸。

4.2.2 检查性手选的设置应符合下列规定：

1 手选带式输送机速度不应超过 0.3m/s。

2 手选带式输送机宜水平布置，当需要倾斜布置时，其倾角不应大于 12°。

4.2.3 当用户对产品含杂率有要求时，宜设机械除杂、除铁设施或装置。

4.3 破　　碎

4.3.1 破碎工艺流程应根据原料煤粒度上限、分选入料粒度上限和所选择破碎机的破碎比确定。破碎机处理能力可按表 4.3.1 选取或采用厂家提供的保证值。

表 4.3.1 破碎机处理能力

设备类型	齿辊直径 (mm)	入料最大粒度 (mm)	排料粒度 (mm)	单位辊长处理能力 [t/(m·h)]
分级破碎机	500	<300	50～150	50～100
	650	<300	50～150	60～120
	800	<300	50～150	80～150
	1000	<350	50～150	100～200
双齿辊破碎机	450	<200	50～100	40～80
	600	<300	50～150	50～100
	900	<300	50～150	70～140
环锤式破碎机	650	<200	20	40～80
	800	<250	20	60～120
	1100	<250	30	100～200

注：1 破碎机处理能力与入料物料性质（硬度、粒度、粒度组成等）、破碎比、破碎机齿型等因素有关，在选用时应加以注意。

2 表中所列均为二段破碎机，一段破碎机可采用厂家提供的保证值。

4.3.2 破碎机入料口前必须设置除铁装置。

4.3.3 当原料煤矿井井下未设置大块煤处理装置时，可在原煤储存设施之前设置+300mm大块煤处理环节。

5 选　　煤

5.1 一般规定

5.1.1 原煤应根据煤质特性、用户需求、经济效益和环保要求进行分选加工。选后产品的质量，应符合现行国家标准《煤炭产品品种和等级划分》GB/T 17608 的有关规定，稀缺煤类的产品灰分可高于其他煤类。稀缺、特殊煤炭资源的利用方向，应符合现行国家标准《稀缺、特殊煤炭资源的划分与利用》GB/T 26128 的有关规定。

5.1.2 入选原煤的分选上限可根据所选择的选煤方法、分选设备允许的分选上限确定。

5.1.3 稀缺炼焦用煤分选深度宜为 0，非稀缺炼焦用煤和高炉喷吹用煤分选深度必要时可为 0，化工及动力用煤分选深度可根据煤质情况及综合效益论证确定。

5.1.4 入选原煤的可选性等级应按现行国家标准《煤炭可选性评定方法》GB/T 16417 划分。

5.1.5 当各层煤在分选密度相同的条件下，其基元灰分、硫分相差较大或煤类不同时，宜分别分选。

5.1.6 可行性研究和初步设计应对筛分、浮沉试验资料的代表性进行评述。当筛分、浮沉试验资料代表性不足时，应按下列规定调整：

1 可按邻近煤矿、选煤厂的实际生产情况调整。

2 应根据煤田地质报告、采煤方法、运输提升方式等因素，先预测生产原煤灰分，再进行资料调整。

3 当预测生产原煤灰分与筛分资料灰分的差值小于 2%时，可采用灰分系数法对筛分资料进行校正；当大于 2%时，应按筛分资料中各粒级灰分分布趋势和矸石特性，分别调整各粒级灰分。

5.1.7 选煤方法应根据原煤性质、产品要求、分选效率、销售收入、生产成本、基建投资等相关因素，经过技术经济综合比较后确定。

5.1.8 选煤工艺产品计算应符合下列规定：

1 重力选产品的计算，在有条件的情况下宜采用实际分配率计算。不具备条件时，也可采用正态分布近似法计算。

2 空气脉动跳汰机、动筛跳汰机的不完善度，可按表 5.1.8-1 选取或采用厂家提供的保证值。

3 重介质分选设备及风力分选机的可能偏差，可按表 5.1.8-2 选取或采用厂家提供的保证值。

4 浮选精煤产率可按国家现行标准《煤粉（泥）实验室单元浮选试验方法》GB/T 4757 或《选煤实验室分步释放浮选试验方法》MT/T 144 实验结果选取，也可按相似煤质的实际生产浮选资料选取。

5 摇床、螺旋分选机的不完善度可按表 5.1.8-3 选取或采用厂家提供的保证值。

6 干扰床的可能偏差（E_p）可按 0.11～0.14 选取或采用厂家提供的保证值。

7 次生煤泥占入选原煤百分率可根据煤和矸石的泥化试验确定，也可按邻近选煤厂实际生产指标选取。

表 5.1.8-1 空气脉动跳汰机、动筛跳汰机不完善度

分选粒级(mm)	作业条件		不完善度 I
50(100)～0.5	跳汰主选	矸石段	0.14～0.16
		中煤段	0.16～0.18
	跳汰再选	—	0.18～0.20
50(200)～13	跳汰主选	矸石段	0.11～0.13
		中煤段	0.14～0.16

续表 5.1.8-1

分选粒级(mm)	作业条件		不完善度 I
13～0.5	跳汰主选	矸石段	0.18～0.20
		中煤段	0.20～0.22
	跳汰再选	—	0.22～0.25
300～50	动筛跳汰	排矸	0.09～0.11

表 5.1.8-2 重介质分选设备及风力分选机可能偏差

设备名称	作业条件	可能偏差 E_p
斜轮、立轮、刮板重介分选机	分选粒级＞13mm	0.02～0.04
二产品重介质旋流器	(主选)分选粒级＞0.5mm	0.03～0.05
	(再选)分选粒级＞0.5mm	0.04～0.06
三产品重介质旋流器	一段(主选)、分选粒级＞0.5mm	0.03～0.05
	二段(再选)、分选粒级＞0.5mm	0.05～0.07
煤泥重介旋流器	分选粒级 1.5mm～0.5mm	0.08～0.12
风力分选机	分选粒级 80mm～6mm	0.23～0.28

表 5.1.8-3 摇床、螺旋分选机不完善度

设备名称	分选粒级(mm)	不完善度 I
摇床	6～0	0.20～0.22
螺旋分选机	3～0	0.20～0.25

5.1.9 工艺设备选型应符合下列规定:

1 应技术先进、性能可靠。

2 应经济实用,并应综合节能、使用寿命和备品备件等因素。

3 噪声宜小于 85dB。

5.1.10 浓缩机底流泵应 100%安装备用,其他泵类可不备用,也可同种型号库存备用 1 台。

5.1.11 工艺布置应符合下列规定:

1 布局应紧凑合理,功能分区应明确。

2 应方便设备检修,并应留有必要的场地和通道。

3 应便于生产操作管理。

5.2 跳汰选煤

5.2.1 跳汰机的处理能力可按表5.2.1选取或采用厂家提供的保证值。

表5.2.1 跳汰机处理能力

作业条件		单位宽度处理能力[t/(m·h)]	单位面积处理能力[t/(m²·h)]
空气脉动跳汰机	不分级入选	80～100	13～18
	块煤分选	90～110	14～20
	末煤分选	50～70	10～14
	再选	50～70	10～14
动筛跳汰机排矸		80～110	40～70

注:1 采用单段跳汰机排矸时,处理能力可按单位宽度指标确定。

2 跳汰机单位宽度(面积)处理能力,易选煤取偏大值,难选煤取偏小值。

5.2.2 跳汰机缓冲仓的设置应根据原煤给料系统的配置情况确定。原煤给料系统能够保证跳汰机连续稳定给料时,可不设缓冲仓,原煤给料系统不能保证跳汰机连续稳定给料时,应设置缓冲仓,其有效容量宜为该跳汰机5min～10min的处理能力。动筛跳汰机入料前是否设置缓冲仓,应根据煤质和系统配置情况确定。

5.2.3 跳汰机分选循环用水量宜符合表5.2.3的规定。

表5.2.3 跳汰机分选循环用水量

作业条件	空气脉动跳汰机				动筛跳汰机
	不分级煤	块煤	末煤	再选	排矸
循环用水量(m^3/t)	2.5～3.0	3.0～3.5	2.0～2.5	3.0～3.5	$10m^3/(m^2 \cdot h)$～$20m^3/(m^2 \cdot h)$

5.2.4 跳汰机的工作风压及风量宜符合表5.2.4的规定。

表 5.2.4 跳汰机工作风压及风量

作业条件	风压(MPa)	风量$[m^3/(m^2 \cdot min)]$
不分级煤	0.035～0.050	4～6
块煤	0.040～0.050	5～7
末煤	0.035～0.050	3～5
再选	0.035～0.050	3～5

注:当分选块煤采用柱体滑阀时,风量指标宜增加 1.5$m^3/(m^2 \cdot min)$。

5.3 重介质选煤

5.3.1 斜(立)轮重介质分选机、刮板重介质分选机的处理能力,可按表 5.3.1 选取或采用厂家提供的保证值。

表 5.3.1 斜(立)轮重介质分选机、刮板重介质分选机处理能力

分选机	单位槽宽处理能力 $[t/(m \cdot h)]$	单位槽宽悬浮液循环量 $[m^3/(m \cdot h)]$
斜(立)轮重介质分选机	70～100	80～100
刮板重介质分选机	70～100	175～200

5.3.2 无压入料重介质旋流器的原煤入料高差不宜小于 1.5m,有压入料重介质旋流器的给料方式可采用泵或定压漏斗。重介质旋流器标准给料压力、处理能力及悬浮液循环量,可按表 5.3.2 选取或采用厂家提供的保证值。

表 5.3.2 重介质旋流器标准给料压力、处理能力及悬浮液循环量

参数	条件	指标	说明
给料压力(m 矿浆柱)	原煤重介质旋流器	$9D$～$15D$	D 为旋流器圆筒段直径(m)
	煤泥重介质旋流器	$30D$～$45D$	
干煤处理能力 $[t/(m^2 \cdot h)]$	原煤重介质旋流器	200～320	指旋流器单位时间单位筒体横截面(m^2)的处理量
矿浆处理能力 $[m^3(m^2 \cdot h)]$	煤泥重介质旋流器	1000～1500	

续表 5.3.2

参数	条件	指标	说明
吨煤介质循环量（m^3）	原煤重介质旋流器	2.5～4.5	三产品重介质旋流器取偏大值

注：1 无压旋流器的入料压力取偏大值，有压旋流器的入料压力取偏小值。
2 重产物含量多时，旋流器处理能力取偏小值。
3 生产低灰产品时，介质循环量取偏大值。

5.3.3 重介质旋流器分选工艺应控制入料粒度上限。重介质悬浮液的密度应自动检测与调节。

5.3.4 除块煤重介分选的重产物外，重介质分选设备选出的产品进入脱介筛前宜设固定筛或弧形筛进行预脱介；脱介筛上应设喷水装置，且不宜采用双层筛。脱介筛的处理能力、喷水量及喷水压力可按表 5.3.4 选取，或采用厂家提供的保证值。

表 5.3.4 脱介筛的处理能力、喷水量及喷水压力

名称	筛孔（mm）	处理能力［t/(m^2·h)］		处理能力［t/(m·h)］		喷水量		喷水压力（MPa）
		已脱泥	未脱泥	已脱泥	未脱泥	（m^3/t）	（m^3/m）	
块煤	0.5（1.5）	10～18	—	60～90	—	0.5～1.0	23～33	0.15～0.30
混煤、末煤	0.5	5～9	4～7	30～45	24～36	1.0～2.0	35～50	
	1.0	8～14	6～11	45～55	36～48			
	1.5	9～16	7～13	50～65	42～55			

5.3.5 磁选机的磁性物回收率不应低于 99.8%。

5.3.6 当采用磁铁矿粉作加重质时，其磁性物含量不应小于 95%，密度不宜小于 4.5t/m^3。磁铁矿粉的粒度应符合下列规定：

1 用于斜（立）轮、刮板重介质分选机分选块煤的磁铁矿粉粒度，小于 0.074mm 的含量应占 90%以上。

2 用于重介质旋流器分选的磁铁矿粉粒度，小于 0.045mm 的含量应占 85%以上。

5.3.7 采用重介质选煤工艺的选煤厂，应设磁铁矿粉储存库，其有效容量可根据市场及运输条件确定，也可按下列规定确定：

1 一般情况0.5个～1个月的磁铁矿粉消耗量；

2 运输不便地区1.5个～2个月的磁铁矿粉消耗量；

3 寒冷地区4个～5个月的磁铁矿粉消耗量。

5.3.8 分选每吨煤的磁铁矿粉技术耗量，块煤应小于0.8kg；混煤、末煤应小于2.0kg。

5.4 浮　　选

5.4.1 浮选设备的处理能力宜按《煤粉(泥)实验室单元浮选试验方法》GB/T 4757做单元浮选速度试验，按试验确定浮选时间的2.5倍计算。当没有试验资料时，其处理能力可按表5.4.1确定或采用厂家提供的保证值，并按同类煤质实际浮选时间校核。

表5.4.1 浮选设备处理能力

设备类型	处理能力	
浮选机	按干煤泥计[t/(m³·h)]	0.5～0.9
	按矿浆通过量计[m³/(m³·h)]	7～12
浮选柱	按干煤泥计[t/(m²·h)]	1.5～2.5
	按矿浆通过量计[m³/(m²·h)]	20～30

注：1 浮选机处理能力是按浮选机总容积计算的单位体积的能力。

2 浮选柱处理能力按圆柱断面面积计算，矩形柱(浮选床)按其内切圆的断面面积计算。

3 入浮浓度80g/L以下时，选型指标宜采用矿浆处理能力，校核指标宜采用干煤泥处理能力。

4 易浮煤取偏大值，低入料浓度取偏大值。

5.4.2 车间内浮选药剂箱的容量可按0.5d～1.0d的药剂消耗量确定，易燃类浮选药剂箱容积和布置要求应符合现行煤炭行业有关防火规范的规定。

5.4.3 浮选药剂站宜由药剂储存罐及油泵组成，必要时可设散装药剂池。药剂储存罐的容量不宜小于15d的药剂消耗量，当采用标准轨距油罐车运输药剂时，药剂储存罐的总容量应大于两辆油罐车的容量。

5.4.4 **浮选机前应设置搅拌、矿化等调浆设施或装置。**

5.4.5 浮选药剂用量可按试验室浮选剂配比试验结果选定，也可按类似选煤厂实际生产用量选取。

5.5 其他选煤方法

5.5.1 摇床或螺旋分选机可用于易选、中等可选的粗煤泥降灰和脱除黄铁矿。缺水地区、处理脏杂煤或对高灰原煤进行预先降灰处理的煤炭洗选工程，可采用干选（风选）或滚筒分选机分选。摇床、螺旋分选机和复合式干选机的处理能力，可按表5.5.1选取或采用厂家提供的保证值。滚筒分选机处理能力可采用厂家提供的保证值。

表5.5.1 摇床、螺旋分选机和复合式干选机的处理能力

作业名称	粒度(mm)	入料浓度(%)	入料外在水分(%)	处理能力[t/(m²·h)]
摇床	0～6	30～40	—	0.5～1.0
	0～1	30～35	—	0.25～0.40
螺旋分选机	0～3	30～40	—	2.5～4.0
复合式干选机	0～50(80)	—	<7	8～10

注：1 摇床的处理能力为单层单位面积的处理能力。

2 螺旋分选机的处理能力为单头单位投影面积的处理能力。

5.5.2 干扰床分选机可用于粗煤泥的分选，其处理能力及循环水用量可按表5.5.2选取或采用厂家提供的保证值。

表5.5.2 干扰床分选机的处理能力及循环水用量

入料浓度(%)	单位面积处理能力[t/(m²·h)]	单位面积循环水用量[m³/(m²·h)]
40～60	15～20	15～20

6 脱水、防冻与干燥

6.1 脱　　水

6.1.1 产品脱水可采用脱水筛，脱水筛前可设弧形筛或固定筛预脱水。末精煤脱泥可采用脱泥筛，脱泥筛上宜设喷水装置。脱水筛、脱泥筛的处理能力及筛上物水分可按表6.1.1选取或采用厂家提供的保证值。

表6.1.1 脱水筛、脱泥筛处理能力及筛上物水分

筛孔尺寸(mm)	参　数	指　标		
		精煤脱水、分级	末精煤脱水、脱泥	粗粒煤泥脱水
13	处理能力[t/(m² · h)]	14～20	—	—
	筛上物水分(M_f,%)	8～10	—	—
1.0	处理能力[t/(m² · h)]	—	9～15	—
	筛上物水分(M_f,%)	—	12～15	—
0.75	处理能力[t/(m² · h)]	—	8～13	—
	筛上物水分(M_f,%)	—	12～16	—
0.5	处理能力[t/(m² · h)]	—	6～10	3～5
	筛上物水分(M_f,%)	—	13～18	18～23
0.35	处理能力[t/(m² · h)]	—	—	1.5～2.5
	筛上物水分(M_f,%)	—	—	23～28

6.1.2 末精煤、末中煤最终脱水应采用离心机。离心机处理能力及产品水分可按表6.1.2选取或采用厂家提供的保证值。

表 6.1.2 离心机处理能力及产品水分

设备类型	规格	入料粒级(mm)	处理能力(t/h)	产品水分(M_f,%)
立式刮刀卸料	φ700	0.5～13	30～50	5～7
	φ900	0.5～13	50～70	5～7
	φ1000	0.5～25	70～100	5～7
	φ1150	0.5～25	100～150	5～7
卧式振动	φ1000	0.5～25	60～100	6～8
	φ1200	0.5～13	140～160	6～8
		0.5～50	160～180	5～7
	φ1400	0.5～13	180～200	6～8
		0.5～50	200～240	5～7
	φ1500	0.5～13	240～290	6～9
		0.5～50	280～350	5～9

注:产品水分与入料量、水分、粒度等入料条件有关。细粒级含量高时,产品水分宜取偏大值。

6.1.3 脱水斗式提升机的处理能力应根据运输物料的种类、装满系数及采用的提升速度计算,也可按表 6.1.3 选取。

表 6.1.3 脱水斗式提升机处理能力及产品水分

作业类别	提升速度(m/s)	脱水时间(s)	装满系数	处理能力[t/(m·m·h)]	倾角(°)	产品水分(M_f,%)
最终脱水	0.16	45～50	0.50～0.75	60～120	<65	22～27
预脱水	0.27	20～25	0.50～0.75	100～200	<70	28～30

注:脱水斗式提升机处理能力指单位时间、单位斗宽、单位斗子间距的处理能力。预脱水取偏大值,最终脱水取偏小值。

6.1.4 煤泥产品可采用加压过滤机、沉降过滤式离心机、煤泥离心机、快开式隔膜压滤机、箱式压滤机、带式压滤机、高频振动筛等设备脱水。过滤机、压滤机、离心机等设备的处理能力及产品水分宜按所处理物料的试验值选取，也可按表6.1.4-1、表6.1.4-2、表6.1.4-3选取或采用厂家提供的保证值。高频振动筛可按本规范表6.1.1选取或采用厂家提供的保证值。

表6.1.4-1　过滤机、压滤机处理能力及产品水分

设备名称	处理物料	入料浓度(g/L)	处理能力	产品水分(M_f,%)	工作压力(MPa)
加压过滤机	精煤	200～250	0.4t/(m^2·h)～0.8t/(m^2·h)	16～18	0.35～0.50
	煤泥	350～500	0.3t/(m^2·h)～0.6t/(m^2·h)	18～22	0.35～0.50
箱式压滤机	尾煤	350～500	0.01t/(m^2·h)～0.02t/(m^2·h)	22～26	0.25～0.35
	煤泥	350～500	0.02t/(m^2·h)～0.03t/(m^2·h)	20～24	0.25～0.35
快开式隔膜压滤机	精煤	200～250	0.05t/(m^2·h)～0.07t/(m^2·h)	18～23	0.50～0.70
	煤泥	350～500	0.03t/(m^2·h)～0.06t/(m^2·h)	20～24	0.50～0.70
带式压滤机	精煤	＞100	3.0t/(m·h)～4.5t/(m·h)	23～28	—
	煤泥	＞100	1.5t/(m·h)～3.5t/(m·h)	25～30	—

表6.1.4-2　沉降过滤式、沉降式离心脱水机处理能力及产品水分

设备规格	处理物料	入料浓度(%)	处理能力(t/h)	产品水分(M_f,%)
ϕ900×1800	＜1mm煤泥	25～35	5～10	15～24
ϕ900×2400	＜1mm煤泥	25～35	7～12	15～24
ϕ1100×2600	＜1mm煤泥	25～35	13～15	15～24

续表 6.1.4-2

设备规格	处理物料	入料浓度（%）	处理能力（t/h）	产品水分（M_f,%）
φ1100×3400	＜1mm 煤泥	25～35	20～25	15～24
φ1400×1800	＜1mm 煤泥	25～35	25～30	15～24
φ1800×4000	＜1mm 煤泥	25～35	40～50	14～20

表 6.1.4-3 煤泥离心机处理能力及产品水分

规格	处理物料	入料浓度（%）	处理能力（t/h）	产品水分（M_f,%）
φ700	＜3mm 煤泥	＞35	8～13	15～22
φ900	＜3mm 煤泥	＞35	13～20	15～22
φ1000	＜3mm 煤泥	＞35	20～30	15～22
φ1200	＜3mm 煤泥	＞35	30～50	15～22

6.1.5 加压过滤机应配备空压机和其他配套设备。空压机出口压力和空气消耗量宜符合厂家提出的有关要求，也可按表 6.1.5 选取。

表 6.1.5 加压过滤机所需空气压力及其耗风量

加压过滤机	
空压机出口压力（MPa）	空气消耗量[m^3/（m^2·min）]
0.45～0.60	0.8～1.2

6.2 防冻与干燥

6.2.1 当精煤的外在水分不能满足用户要求时，可设置晾干或干燥设施。严寒或寒冷地区，当精煤的外在水分大于 8%，煤泥全水分大于 28%时，应根据精煤的流向和运输距离采用产品干燥或防冻措施。

6.2.2 严寒或寒冷地区产品装车，当采用喷洒防冻剂作为防冻措施时，防冻剂用量每吨煤宜为 0.9kg～1.2kg。防冻剂储量宜按

10d～15d 的防冻剂消耗量确定。

6.2.3 干燥车间的生产工艺，热工控制系统应采用自动化及集中控制。

6.2.4 干燥车间废气排放浓度应符合现行国家标准《煤炭工业污染物排放标准》GB 20426 和《锅炉大气污染物排放标准》GB 13271 的相关规定。

6.2.5 干燥后的产品运输及转载处必须设置密闭罩，并应采取相应的除尘措施。

6.2.6 干燥车间按干燥设备的特性，必须采取相应的防火、防爆等安全措施。

6.2.7 干燥机处理能力宜按表 6.2.7 选取或采用厂家提供的保证值。

表 6.2.7 干燥机处理能力

干燥机类型	蒸发强度 [kg/(m³·h)]	干燥介质温度 (℃)	入料水分 (%)	处理能力	产品水分 (M_f,%)
滚筒式	80～90	700～750	27～30	0.35t/(m³·h)～0.45t/(m³·h)	8～12
煤泥碎干机	—	450±50	25～28	10t/(m·h)～12t/(m·h)	<13

注：1 滚筒式干燥机的处理能力为单位时间内单位滚筒体积的处理量。
2 煤泥碎干机处理能力为单位时间内穿流网板单位宽度的处理量。

6.2.8 严寒地区室外输送液体的管网，可根据需要采取相应的防冻措施。

7 煤泥水处理

7.1 煤泥水的输送和粗煤泥的水力分级

7.1.1 煤泥水的输送应符合下列规定：

1 输送方式可采用压力或自流，有条件时应采用自流输送方式。

2 煤泥水的流速应大于临界流速并小于最大流速。有稳定流量的自流管渠坡度不宜小于15‰，无稳定流量的自流管渠坡度应大于15‰。

7.1.2 煤泥水系统的水泵选型及管路布置应符合下列规定：

1 循环水泵、澄清水泵应按分选系统或供水压力的不同，分别选型。

2 各类水泵均宜采用压入式吸水方式，水泵进水管宜单独设置，水泵进水口应采用偏心异径管，并应设置由阀门控制的泄水管。

3 水泵进水管应设置阀门，且不得利用进水阀门调节水泵流量；水泵出水管是否设置阀门或止回阀，可根据具体情况确定。

4 浓缩机底流泵、冲洗排水泵出水管宜架空敷设。当采用埋设时，应在转弯、三通或四通和直线段上每隔25m处设置检查井。

7.1.3 循环水池、澄清水池的布置应结合浓缩池、煤泥沉淀池的布置情况统一设计，并宜设计成相互连通且能独立使用的两格。循环水池、澄清水池的有效容量应根据调节容积等因素确定，宜为10min～15min的水泵流量。

7.1.4 各类管路上阀门开启形式的选择应符合下列规定：

1 自动化程度要求高时，进入集中控制系统的阀门应采用电动或电控气动(液动)。

2　公称直径大于或等于250mm、需经常启闭、安装位置较高且操作不便的阀门，宜采用电动或电控气动（液动）。

3　公称直径小于250mm，且安装位置较高、操作不便或有自动化要求时，可采用电动或电控气动（液动）。

7.1.5　水力分级旋流器处理能力可按表7.1.5-1选取或采用厂家提供的保证值，捞坑、角锥沉淀池、倾斜板沉淀槽的处理能力可按表7.1.5-2选取或采用厂家提供的保证值。

表7.1.5-1　水力分级旋流器处理能力

直径（mm）	150	200	250	300	350	500
入料压力（MPa）	0.1～0.2	0.1～0.2	0.1～0.2	0.1～0.2	0.1～0.2	0.1～0.2
锥角（°）	15	20	20	20	20	20
入料粒度（mm）	<3	<3	<3	<3	<3	<3
分级粒度（mm）	0.03～0.07	0.035～0.100	0.04～0.15	0.05～0.15	0.06～0.20	0.10～0.50
处理能力（m^3/h）	10～25	15～40	20～50	30～80	40～100	80～200

表7.1.5-2　捞坑、角锥沉淀池、倾斜板沉淀槽处理能力

设施名称	水力分级物料	处理能力[$m^3/(m^2 \cdot h)$]	分级粒度（mm）
捞坑	末精煤	15～20	0.3～0.5
角锥沉淀池	粗粒煤泥	15～20	0.3～0.5
倾斜板沉淀槽	粗粒煤泥	30～40	0.3～0.5

7.1.6　选煤厂的生产废水应汇集后进入煤泥水系统，并应经沉淀处理后循环使用。

7.1.7 室内冲洗排水的处理应符合下列规定：

1 有洗选系统时，宜进入洗选系统的煤泥水处理系统。

2 无洗选系统时，可进入井下排水净化站进行处理，也可单独设置水处理设施。

3 有条件时，全厂室内冲洗给水和冲洗排水应自成一个独立的闭路循环体系。

7.1.8 露天储煤场应在其周围进行雨水收集，并应经沉淀处理回用或外排。

7.2 细煤泥的沉淀与浓缩

7.2.1 细煤泥的沉淀与浓缩应首选煤泥浓缩机，当满足环保要求时，也可采用煤泥沉淀池。

7.2.2 细煤泥沉淀与浓缩前可设置混合反应设施，煤泥水与絮凝剂或凝聚剂的混合反应时间可根据试验或相似运行数据确定。

7.2.3 浓缩机或沉淀塔的选型应根据煤泥沉降速度并结合泥化程度、疏水特性等因素确定，其有效沉淀面积可按表面水力负荷率或分级粒度法确定。浓缩机或沉淀塔的沉淀面积有效利用系数可取0.90～0.95。

7.2.4 当按表面水力负荷率进行浓缩机或沉淀塔选型时，应根据由试验得出的最小沉速及安全系数等因素计算。当无相关资料时，宜按下列规定执行：

1 对中等可沉降的细煤泥，表面水力负荷率可按表7.2.4取值。

表7.2.4 中等可沉降细煤泥表面水力负荷率

设施名称	表面水力负荷率[$m^3/(m^2 \cdot h)$]	
	原生煤泥	浮选尾煤
普通浓缩机	2.0～3.0	0.8～1.2
沉淀塔	3.0～4.5	1.2～1.8

续表 7.2.4

设施名称	表面水力负荷率[$m^3/(m^2 \cdot h)$]	
	原生煤泥	浮选尾煤
斜管、斜板型浓缩机	4.0～6.0	1.6～2.4
深锥浓缩机	5.0～7.5	2.0～3.0

注:表中表面水力负荷率为加絮凝剂或絮凝剂数据。

2 对易沉降的细煤泥,其表面水力负荷率可按中等可沉降的1.20倍～1.50倍计取。

3 对难沉降的细煤泥,表面水力负荷率可按中等可沉降的25%～75%计取,也可按相似实际运行数据确定。

7.2.5 当按分级粒度法进行浓缩机选型时,设备选型应符合下列规定:

1 对于中等可沉降细煤泥加凝聚剂或絮凝剂时,普通型浓缩机的浓缩面积指标可根据实际分级粒度按表7.2.5选取。

2 对于易沉降、难沉降细煤泥,其浓缩机的浓缩面积指标可在中等可沉降数据的基础上根据试验数据或相似生产实际情况进行调整。

7.2.6 严寒或风沙严重地区,浓缩机或沉淀塔不宜露天设置。

7.2.7 浓缩机入料前可设置缓冲设施。入料缓冲设施的容积应能满足稳定入料压力、入料量,并应具备除气和箅除杂物的功能。

7.2.8 斜管、斜板浓缩机的斜管、斜板支撑网架空隙不宜小于斜管的孔径、斜板的板距。

7.2.9 浓缩池溢流应采用三角堰,不得采用宽顶堰。

7.2.10 浓缩机或沉淀塔底流管应设冲洗水管,其出口压力不应小于0.3MPa。冲洗水应引自循环水或冲洗水泵,并应设有止回阀。

7.2.11 当投加絮凝剂、凝聚剂时,应设有药剂制备和储存设施,药剂储存设施应能储存7d～15d的药剂消耗量。

表 7.2.5　普通型浓缩机的浓缩面积指标

项目 / 底流固液比 / 入料固液比	分级粒度(0.05mm/0.1mm)								
	浓缩面积指标[$m^2/(t \cdot h)$]								溢流浓度(g/L)
	1∶10	1∶8	1∶6	1∶5	1∶4	1∶3	1∶2	1∶1	
1∶100	85.4/21.4	87.6/22.0	89.5/22.4	90.5/22.6	91.4/22.8	92.3/23.1	93.3/23.3	94.2/23.6	1.05/4.20
1∶75	62.5/15.6	64.4/18.0	66.3/16.5	67.3/16.8	68.3/17.0	69.2/17.3	70.2/17.5	71.2/17.8	1.04/4.17
1∶50	38.8/9.8	40.8/10.3	42.7/10.7	43.7/11.0	44.6/11.2	45.6/11.5	46.6/11.7	47.6/12.0	1.03/4.10
1∶40	29.7/7.4	31.7/7.9	33.7/8.4	34.6/8.7	35.6/8.9	36.6/9.1	37.6/9.4	38.6/9.6	1.01/4.05
1∶25	15.5/3.9	17.5/4.4	19.6/4.9	20.6/5.2	21.6/5.4	22.7/5.8	23.7/5.9	24.8/6.2	0.97/3.88
1∶20	10.5/2.6	12.6/3.2	14.7/3.7	15.8/4.0	16.8/4.2	17.9/4.5	19.0/4.8	20.0/5.0	0.95/3.78
1∶15	5.6/1.4	7.8/2.0	10.0/2.5	11.7/2.8	12.2/3.1	13.3/3.4	14.4/3.6	15.6/3.9	0.95/3.68
1∶12	2.3/0.6	4.7/1.2	7.0/1.8	8.1/2.1	9.4/2.4	10.5/2.6	11.7/2.9	12.9/3.2	0.85/3.42
1∶10	—	2.5/0.6	4.9/1.2	6.2/1.6	7.4/1.9	8.7/2.2	9.9/2.5	11.1/2.8	0.81/3.24
1∶9	—	1.3/0.3	3.9/1.0	6.15/1.3	6.4/1.6	7.7/2.0	9.0/2.3	10.3/2.6	0.78/3.10
1∶8	—	—	2.7/0.7	4.0/1.0	5.4/1.4	6.7/1.7	8.1/2.0	9.4/2.4	0.75/2.98
1∶7	—	—	1.5/0.4	2.9/0.7	4.3/1.1	5.7/1.5	7.2/1.8	8.6/2.2	0.70/2.78
1∶6	—	—	—	1.6/0.4	3.2/0.8	4.7/1.2	6.3/1.6	7.9/2.0	0.63/2.54
1∶5	—	—	—	—	1.8/0.5	3.7/0.9	5.3/1.4	7.4/1.8	0.54/2.13
1∶4	—	—	—	—	—	2.5/0.6	4.9/1.2	7.3/1.1	0.41/1.64

7.3 事故煤泥水处理

7.3.1 选煤厂必须设置事故煤泥水处理环节。

7.3.2 事故煤泥水处理设施的选择应符合下列规定：

1 宜选用事故浓缩机，也可选用事故煤泥沉淀池。

2 事故浓缩机应与最大一台工作浓缩机同型号，并可与工作浓缩机互为备用。条件受限时，也可采用无浓缩机的事故浓缩池。

3 选用事故煤泥水池时，其有效容积应为厂内最大一台设备有效容积的1.2倍～1.5倍。事故煤泥水池可不设澄清水池。

4 事故煤泥水在事故处理完毕后，应能及时返回到煤泥水系统中。

8 产品储存与装车

8.0.1 选后产品储存应采用煤仓或封闭式储煤场。产品储存形式和装车方式应根据地形、工程地质、运输量、运输方式及产品品种等条件，经过技术经济比较后确定。

8.0.2 产品煤仓、封闭式储煤场的容量和装车方式应符合下列规定：

1 产品煤仓、封闭式储煤场的有效容量的选择应符合下列规定：

1）大、中型选煤厂宜采用1.0d的选后产品量。

2）特大型选煤厂宜采用0.5d～1.0d的选后产品量。

3）在交通运输不便的地区宜采用1.0d～2.0d的选后产品量；产品煤仓、封闭式储煤场的有效总容量应满足1.2倍～1.5倍设计车组的净载重量。

2 产品煤仓、封闭式储煤场的设置应根据产品品种确定，并应满足装车要求。

3 产品煤的装车可采用集中单点装车，也可采用多点装车，并应根据需要在轨道衡或汽车衡附近设置添减煤设施及平车设施。

4 洗选后产品仓宜设置脱水装置，寒冷地区应采取保温防冻措施。

5 当选煤厂装车区距主厂区较远时，宜分别设置产品仓（场）与装车仓（场），产品仓（场）应满足生产需要，装车仓（场）应满足装车需要。

8.0.3 当采用标准轨距车辆外运煤炭时，装车设备能力应满足在规定时间内装完一列车的要求。从空车对准货位到一列车全部装满、计量完毕所需的时间不宜超过 2.0h。

8.0.4 煤仓内宜采取防堵塞或破拱措施，块煤仓应采取防碎措施。

8.0.5 矸石仓的有效容积不宜小于 8.0h 的矸石量。

8.0.6 大型选煤厂可采用快速定量装车装置。

9 矸石与煤泥综合利用

9.0.1 煤矸石可根据其收到基低位发热量和其他物理、化学、工艺性质，按现行国家标准《煤矸石利用技术导则》GB/T 29163 的有关规定，在燃料、建筑材料、路基填料、化工原料、农业生产和回填等方面加以利用。矸石综合利用工程应与主体工程同时规划设计、协调投产。

9.0.2 无利用价值的矸石和灰渣应进行处理，处理效果必须满足当地环境保护的要求。

9.0.3 选煤厂不宜设永久排矸场。临时排矸场的位置和要求应符合现行国家标准《煤炭工业矿井设计规范》GB 50215 的有关规定。排矸运输可选用汽车、带式输送机、箕斗、窄轨、索道、准轨等方式，经综合比较后确定。

9.0.4 煤泥宜用于生产水煤浆或与矸石、中煤等副产品混配后供劣质煤电厂。

10 计量与煤质检查

10.0.1 选煤厂应配备计量器具，并应对原煤、产品煤量，电耗、水耗、介质、药剂消耗等进行计量。能源计量器具的配备和管理应符合现行国家标准《用能单位能源计量器具配备和管理通则》GB 17167、《煤炭企业能源计量器具配备和管理要求》GB/T 29453的有关规定。计量装置宜具备实时记录、统计及通信功能。

10.0.2 选煤厂应设置煤样室和化验室，煤样室应包括生产煤样室和销售煤样室。矿井、群矿选煤厂的生产煤样室和化验室，宜与矿井的生产煤样室和化验室合并设置在选煤厂。销售煤样室可根据选煤厂工艺总平面布置情况或其他具体情况，单独设置或与生产煤样室合并设置。

10.0.3 化验室应根据选煤厂类型及产品用途，进行煤的灰分、硫分、挥发分、水分和发热量等项目的测定及与工艺系统有关的单元试验，也可根据需要增加下列项目：

1 炼焦煤选煤厂应进行煤的黏结性测定；

2 重介质选煤厂应进行磁性物含量和悬浮液黏度的测定。

10.0.4 煤样室应进行筛分、浮沉试验及分析煤样的制作。

10.0.5 化验室和煤样室应设置防寒、防尘和排放有害气体的设施。

10.0.6 选煤厂宜设快速浮沉试验室，其位置可设在主厂房。

10.0.7 选煤厂的计量、采样和制样等宜采用机械化或部分自动化。有条件的选煤厂可设置在线灰分仪、水分仪等在线检测仪器和自动采(制)样装置。

11 机电设备修理

11.0.1 选煤厂机电设备的大修，矿井、群矿选煤厂的中修，应由矿区修理厂或专业、定点协作厂承担；矿井、群矿选煤厂的小修应由矿井修理车间承担。

11.0.2 矿井、群矿选煤厂应设日常维修车间，并应承担选煤厂日常维修任务。车间内主要设备和建筑面积可由业主自行选定，车间建筑面积也可按表11.0.2选取。材料库(棚)面积可与车间面积相同。

表 11.0.2 矿井、群矿选煤厂修理车间的建筑面积

选煤厂设计生产能力(Mt/a)	0.45～0.60	0.90～1.50	1.80～2.40	≥3.00
车间建筑面积(m^2)	100～150	200～250	300～350	400～450

11.0.3 中心、矿区选煤厂应设修理车间，可承担中、小修任务。修理车间内可设机电维修组、锻铆组、工具器材间等，车间内主要设备和车间建筑面积可由业主自行选定，车间建筑面积也可按表11.0.3选取。材料库(棚)面积可与车间面积相同。

表 11.0.3 中心、矿区选煤厂修理车间的建筑面积

选煤厂设计生产能力(Mt/a)	0.45	0.60	0.90	1.20	1.50	1.80	2.40	3.00	4.00	≥5.00
车间建筑面积(m^2)	450	450	600	700	700	800	1000	1200	1400	1500

12 工业场地总平面

12.0.1 工业场地的平面布置应有近期实测的地形图和必要的工程地质、水文及气象资料。地形图的比例尺应根据地形条件、企业规模、工程性质确定。可行性研究阶段可采用1:1000或1:2000，初步设计阶段可采用1:500或1:1000,施工图应采用1:500。

12.0.2 选煤厂厂址选择应符合下列规定：

1 应根据国家的工业布局、城镇(乡)总体规划、土地利用总体规划以及矿区总体规划的要求,按项目建设前期工作的有关规定进行。

2 厂址应靠近原料基地,应有便利和经济的交通运输条件，并应与厂外铁路、公路连接便捷、工程量小。

3 厂址应具有满足生产、生活及发展所必需的水源和电源。水源和电源与厂址之间的管线连接应短捷。

4 厂址应具有满足建设工程需要的工程地质条件和水文地质条件。在抗震设防烈度6度及以上的地震区,应避开抗震不利地段,当无法避开时,应采取地基处理及抗震措施。

5 厂址应具有满足近期建设所必需的场地面积和适宜的建厂地形,并应根据选煤厂远期发展规划的需要,留有适当的发展余地。

6 厂址应有适宜的地形坡度,应避开自然地形复杂、坡度大的地段,并应避免将盆地、集水洼地作为厂址。

7 在山区建厂时,当厂址位于山坡或山脚处时,应对场地的稳定性等做出地质灾害危险性评估报告。

8 厂址应不占或少占农田、林地以及基本农田,并应不压和少压煤炭和有开采价值的矿产资源。

9 下列地段和地区不得选作选煤厂建设场地：

1)抗震危险地段；

2)有泥石流、滑坡、沙害、溶洞、采空区、Ⅳ级自重湿陷性黄土等不良地质现象，且采取治理措施的工程投资巨大；

3)矿井开采后可能引发场地的环境地质问题；

4)爆破危险范围内，地面炸药库的外部安全距离范围内；

5)受到洪水威胁，而采取防洪措施的工程投资特别巨大；

6)法定的文物保护区、风景名胜区、自然保护区、水源卫生防护区范围内；

7)航空、通信、气象地震观测、军事设施及其他重要设施的影响范围内。

12.0.3 矿区、中心和用户选煤厂工业场地防洪标准，应符合现行国家标准《煤炭工业矿区总体规划规范》GB 50465的有关规定；矿井、群矿选煤厂工业场地防洪标准、竖向布置和场内运输，应符合现行国家标准《煤炭工业矿井设计规范》GB 50215的有关规定。

12.0.4 选煤厂工业场地总平面布置应符合下列规定：

1 应根据建(构)筑物功能和特点分区布置。

2 应充分利用地形，并应减少土石方工程量；矿浆输送宜采用自流式管、沟。

3 建(构)筑物、道路及工程管线的布置应紧凑合理、相互协调、整齐美观。

4 主要建(构)筑物应布置在工程地质条件较好的地段。

5 应根据工艺要求、防火、环境保护、卫生、安全等要求，布置联合建筑。

6 分期建设工程应便于前后期衔接，预留场地宜布置在近期建设场地以外，当与近期工程生产工艺联系密切不宜分开时，可在建设场地内预留；预留场地内不得修建永久性建(构)筑物和管线。

7 改建、扩建选煤厂应充分利用已有场地、建(构)筑物和设施。

8 应处理好建(构)筑物位置与风向、朝向的关系。

9 应根据污染源影响程度合理确定建(构)筑物间距、卫生防护植物带的位置及宽度。

10 矿井和群矿选煤厂工业场地总平面布置应与矿井统筹规划协调布置。

12.0.5 群矿、矿井或用户选煤厂的辅助生产建(构)筑物,以及行政公共建筑物及公用设施,可与矿井或用户联合设置,当矿(用户)、厂分别管理时,也可分别设置。

12.0.6 空气压缩机站应按全年风向频率,布置在空气清洁和受粉尘、废气污染较小的位置。空气压缩机吸气口与翻车机房、装车仓、受煤坑、储煤场等粉尘源的距离不宜小于30m,在不利风向位置时,不宜小于50m。

12.0.7 储煤场、事故煤泥沉淀池应按全年风向频率布置在对工业场地污染较小的位置,其与提升机房、办公楼的距离不宜小于30m,在不利风向位置时,不宜小于50m。

12.0.8 锅炉房的位置应便于供煤、排灰和回水,并宜靠近负荷中心。锅炉房或采用煤炭燃烧炉的干燥车间应按全年风向频率布置在对进风井口、空气压缩机站、变电所、办公楼、化验室污染较小的位置,其距离不宜小于30m。有条件时,干燥车间可与锅炉房联合设置。

12.0.9 变电所的位置应便于进出高压输电线路和靠近用电负荷中心,并应按全年风向频率,布置在受粉尘污染较小的位置。室外变电装置与翻车机房、装车仓、受煤坑、储煤场等粉尘源的距离不宜小于30m,在不利风向位置时,不宜小于50m。

12.0.10 修理车间应与材料周转库(棚)集中设置,并应布置在运输方便的地段。其露天作业场地不应大于建筑面积的2倍～3倍。有条件时宜与矿井共用,可不单独设置。

12.0.11 化验室宜与行政办公楼联合设置,应布置在清洁、安静处，并应有单独的出入口。

12.0.12 介质制备车间应靠近主厂房布置。

12.0.13 浮选药剂站和油脂库可联合设置，其四周应设高2.2m以上的围墙。浮选药剂站应位于工业场地边缘，且地势较低、运输方便的地段，并应按全年风向频率和风速，布置在受经常散发火花和有明火建(构)筑物影响最小，且对重要建(构)筑物影响最小的地段。

12.0.14 汽车库的布置应方便汽车出入，并应避免车流与主要人流的交叉。汽车库外应有回车及停车场地。在寒冷及严寒地区，汽车库的大门应避免朝向冬季主导风向。汽车的配备数量宜根据生产、生活需要确定。

12.0.15 厂前区应位于矿(厂)工业场地内、外交通方便，且受干扰、污染较小的位置。有条件时宜将选煤厂主要建(构)筑物布置在厂区景观中心地带，并应妥善处理建筑群体空间。

12.0.16 厂区绿化应与总平面布置、竖向设计、道路和工程管线布置统一进行，并应符合下列规定：

1 绿化布置应根据环境保护及厂容、景观的要求，结合当地自然条件、植物生态习性、抗污性能和苗木来源，因地制宜进行布置。绿化配置应根据不同绿化功能和要求，合理选择绿化植物种类。

2 厂区绿地率宜控制在15%，且不得超过20%。

12.0.17 场地内通道宽度应根据企业规模、工艺要求、道路性质、管线布置、绿化以及竖向布置等需要确定，并应符合国家现行有关防火、卫生、安全等标准的规定。主要通道宽度宜为20m～40m，次要通道宽度宜为12m～20m。

12.0.18 矿区和中心选煤厂工业场地宜设置围墙，布置在矿井工业场地内的选煤厂可不设围墙。浮选药剂站、变电所等可设置专用围墙。围墙至建(构)筑物、道路、铁路和排水明沟的最小距离应符合表12.0.18的规定。

表 12.0.18 围墙至建(构)筑物、道路、铁路和排水明沟的最小距离(m)

名　　称	至围墙最小距离
建筑物	5.0
道路	1.0
标准铁路(中心线)	5.0
窄轨铁路(中心线)	3.5
排水明沟边缘	1.5

注:1　表中间距除注明外,围墙自中心线算起,建筑物自最外边轴线算起;道路为城市型时,自路肩边缘算起。

2　围墙至建筑物的间距,当条件困难时,可适当减少;当设有消防通道时,其间距不应小于6m。

3　传达室、警卫室与围墙的间距不限。

4　条件困难时,准轨铁路至围墙的间距,当有调车作业时,可为3.5m;当无调车作业时,可为3m。窄轨铁路至围墙的间距可按准轨铁路的相应条件,分为3.0m和2.5m。

12.0.19　选煤厂行政办公及生活服务设施用地面积不得超过总用地面积的7%。

12.0.20　厂内道路设计应符合现行国家标准《厂矿道路设计规范》GBJ 22的有关规定。

12.0.21　厂内窄轨铁路运输设计可按现行国家标准《煤炭工业矿井设计规范》GB 50215的有关规定执行。

13 地面运输

13.1 一般规定

13.1.1 选煤厂的内、外部运输，包括装卸、运输设备的选择、物料输送线路的选择、最小库存等，应统一设计、全面规划。

13.1.2 选煤厂外部运输宜采用单一运输方式。当采用联合运输方式时，应协调不同运输方式之间的衔接。内部运输可采用多种方式。

13.1.3 选煤厂应设置相应的物料计量设施。

13.1.4 铁路、运输繁忙的道路和架空索道，不得穿越与运输作业无关的工业场地、居住区或企业主要人流出入口。

13.1.5 各种运输线路交叉时，应符合现行国家标准《工业企业厂内铁路、道路运输安全规程》GB 4387 和《厂矿道路设计规范》GBJ 22 的有关规定。

13.1.6 选煤厂运输系统的生产管理与生活用房应统一规划、合并建设。

13.2 运输方式选择

13.2.1 选煤厂的外部运输方式应根据企业所在地区的交通运输条件、货物性质、运量、流向等因素进行经济技术比较后确定。

13.2.2 有接轨条件的选煤厂宜采用准轨铁路运输，中、小型选煤厂可采用道路运输。

13.2.3 靠近通航河流的选煤厂，对外运输可采用水路运输或水、陆联合运输。

13.2.4 主要物料对外采用铁路、水路、带式输送机、架空索道或管槽等运输方式时，应辅以道路运输，并应充分利用当地的运输能力。

13.2.5 运输量较大的群矿选煤厂，当修建准轨铁路有困难时，可采用道路、窄轨铁路或其他运输方式。

13.2.6 当选煤厂来煤及选后产品煤粒径小于300mm、运输方向单一、运输距离适宜、有能适应带式输送机爬坡能力的起伏多变地形，且年运量大于1.0Mt时，宜采用带式输送机运输。

13.2.7 当地形起伏大或跨越河流、山谷，且工程地质条件复杂、地面运输困难时，选煤厂外部运输可采用架空索道。

13.2.8 改建、扩建选煤厂的内、外部运输宜利用或改造原有运输系统，当原有运输系统无法满足运输要求时，可采用新的运输方式。

13.3 铁路运输

13.3.1 标准轨距铁路运输设计应符合下列规定：

1 应符合现行铁路技术政策、路网规划及国家现行有关标准的规定，并应与铁路部门达成运输、接轨协议。

2 应与矿区总体规划相结合，铁路设施宜布置在无煤地带或矿井设计的煤柱范围内，并应不压煤或少压煤。

3 应避开矿井初期开采范围，当必需布置在将要开采的范围或尚未稳定的采空区时，应采取必要的技术和安全措施。

4 应少占农田、避免或少搬迁村庄、结合工程造田；应合理利用水源、电源，并应综合城乡交通、防洪、排灌等既有设施的利用和改建。

13.3.2 装、卸车站位置应根据井口或选煤厂位置、选煤工艺布置，结合地面生产系统、工业场地总平面布置和铁路选线的可能性，经综合分析比较后确定。

13.3.3 装、卸车站站型应根据运量、产品数量、车流组织、取送车作业方式、地形、地质条件和工业场地布置等因素进行设计，并应留有发展的可能性。日运输量大或铁路对装车时间有特殊要求时，宜采用与快速定量装车系统相适应的站型，并宜按“路企直通”运输设计。

13.3.4 分散的小型选煤厂宜设集中装车站，并宜引入路网接轨，构成“路企直通”运输。

13.3.5 铁路自营的矿区选煤厂专用线、站场，应按本矿区铁路的限制坡度、牵引质量、机车牵引类型、取送车作业方式等特点，结合所设计厂区的具体条件设计专用线和站场。

13.3.6 装、卸车站的取送车作业可采取送空取重、单送单取、等装等方式，并宜结合地形、地质条件、取送车次数、距集配站远近等因素，经综合分析比较后确定。

13.3.7 装、卸车站的装、卸线数量，应根据每次装、卸车数，装、卸车时间，调车方式，在满足选煤厂生产和铁路运输条件下经综合分析比较后确定。

13.3.8 装、卸车站到发线数量应根据每昼夜装、卸车列车对数和通过列车对数，结合站型、取送车方式，装、卸车数量、衡器种类及装、卸车站调车方式等因素经计算后确定。

13.3.9 装、卸车站可根据需要分别设置材料线、煤泥线、牵出线、浮选药剂线、介质线等线路。有条件时，浮选药剂线和煤泥线也可合并设置。

13.3.10 装、卸车站办理职工通勤列车时，应设置职工上下车的基本站台；用中间到发线作通勤车到发线时，可设置中间站台、天桥和地道。

13.3.11 装、卸车站线路有效长度应符合下列规定：

1 当使用路网铁路车辆时，车辆平均换算长度应按铁路部门规定的车辆数据计算，运煤车辆装载系数应采用1.00。

2 到发线有效长度应为设计采用的列车长度，包括机车长度加附加距离15m～30m。

3 装车线有效长度应按空、重车段各为设计的取送列车或车组的长度加附加距离10m～20m，并应加空、重车段分界点间的距离计算。

4 卸煤线有效长度计算方法应与装车线相同。

5 材料线有效长度应根据货运量、货物品种、取送车方式及卸车场地，以及卸车方式等因素并结合总平面布置确定。

6 牵出线有效长度应根据调车作业采用的列车或车组长度，包括机车长度加附加距离 10m～20m 确定。当区间的行车量不大、车站调车作业量较少时，可不设牵出线，应利用区间正线进行调车作业，但其平、纵面及瞭望等条件应符合调车作业的要求；对于设置进站信号机的车站，信号机位置应根据调车作业的需要外移，但与最外方进站道岔尖轨尖端（顺向为警冲标）距离不得超过 400m。

13.3.12 装、卸车辆的移动宜用铁牛牵引或推进，不得用无极绳挂车帮雨篷钩牵引。

13.3.13 装卸车站信号、通信及电力设计应符合现行国家标准《工业企业标准轨距铁路设计规范》GBJ 12 等的有关规定。

13.3.14 按路企直通设计的铁路专用线、装卸车站，其信号、通信、电力设备应与接轨路局设备标准相适应。

13.3.15 采用铁牛作业的装卸车站，应实现车站信号与铁牛的联锁。

13.4 道路运输

13.4.1 厂外道路的建设应符合城乡规划或当地交通运输规划，并应合理利用现有国家公路及城镇道路。厂外道路与国家公路或城镇道路连接时，应使路线短捷、工程量小。

13.4.2 厂外道路设计应符合现行国家标准《厂矿道路设计规范》GBJ 22 及其他公路设计有关标准的规定。

13.4.3 厂外道路等级及主要技术标准应根据道路性质、使用要求、交通量、车种和车型等因素，综合分析确定。在混合交通量和行人较多的地区，可加宽路基和路面。对于具有地方路网功能的道路，应符合国家现行有关交通行业标准的规定。

13.4.4 桥涵设计的汽车荷载应符合现行行业标准《公路工程技术标准》JTG B01 的有关规定。

13.5 其他运输

13.5.1 厂外其他运输可采用带式输送机、输送管道、架空索道及水路运输等方式。

13.5.2 带式输送机及架空索道等线路的布置应符合下列规定：

1 应充分利用地形，路线设计应短捷、减少中间转折。沿线宜设置供维修和检查所需的通道。

2 带式输送机跨越铁路、道路布置时宜采用正交，当必须斜交时，其交叉角不宜小于 45°，并应符合现行国家标准《标准轨距铁路建筑限界》GB 146.2 的有关规定。

3 架空索道线路应避开滑坡、崩塌、沼泽、泥石流、岩溶等不良工程地质区和采矿崩落影响区；当受条件限制不能避开时，站房及支架应采取工程防护措施。

4 架空索道线路布置不应跨越厂区和居住区，也不宜跨越铁路、公路、航道和架空电力线路。当货运索道跨越铁路、公路、航道和架空电力线路时，应设保护设施。

5 在大风地区，宜减小索道线路与盛行风向之间的夹角。

6 架空索道线路与有关设施的最小间距应符合现行国家标准《架空索道工程技术规范》GB 50127 的有关规定。

14 电　　气

14.1 供　　电

14.1.1 选煤厂负荷分级应符合现行国家标准《供配电系统设计规范》GB 50052 的有关规定，下列系统或装备应为二级负荷，不属于二级负荷的其他负荷应为三级负荷：

1 影响矿井生产或铁路运输的原煤系统；

2 影响铁路运输的装车系统；

3 锅炉房；

4 浓缩机提耙设备；

5 消防电源；

6 控制电源。

14.1.2 选煤厂供电电源宜采用 10kV 或 6kV。当用电负荷较大或供电距离较远，且技术经济比选合理时，可采用 35kV 或更高等级的电压供电。供电电源应采用两回及以上供电线路，并宜引自不同母线段，当有一回路中断供电时，其余回路应能满足全部负荷用电。负荷较小或供电条件困难的中心或矿区选煤厂，可由一回 10kV(6kV)及以上的专用架空线路供电。

14.1.3 选煤厂变电所 10(6)kV、35kV 侧的主接线宜采用单母线分段接线。电源线的进线开关、母线联络开关宜采用断路器。

14.1.4 电力负荷计算宜采用需用系数法，需用系数应符合表 14.1.4 的规定。

表 14.1.4　需用系数

设备名称	计算数据	
	K_c	$\cos\phi$
受煤系统	0.55	0.70

续表 14.1.4

设备名称	计算数据	
	K_c	$\cos\phi$
原煤筛分破碎系统	0.60	0.70
重选、脱水、装仓系统	0.60～0.65	0.72
浮选系统	0.70～0.75	0.75
干燥系统	0.60～0.65	0.72
风机、水泵、空气压缩机	0.70～0.80	0.80
铁路装车系统	0.45	0.72
压滤系统	0.55	0.72
煤样室设备	0.40	0.75
化验室设备	0.35	0.85
翻车机	0.30	0.50
起重机	0.35	0.50
机修车间	0.25	0.50
空调	0.45	0.80
照明	0.85	0.90

14.1.5 电力负荷无功功率补偿宜采用10kV(6kV)、660V、380V静电电容器组补偿装置进行集中补偿，补偿后全厂功率因数 $\cos\phi$ 应符合下列规定：

1 电源引自用户上级变电所时，不宜低于0.9。

2 电源引自电网公共连接点时，不应低于0.9。

14.1.6 35kV及以下的配电装置宜采用屋内布置。高压配电装置的设计应符合现行国家标准《3～110kV高压配电装置设计规范》GB 50060的有关规定。

14.1.7 10kV或6kV配电室应预留开关柜安装台数10%～25%的备用位置，且不应少于2个，并宜装设不少于2台备用高压开关柜。

14.1.8 变压器选择应符合下列规定：

1 同一工艺系统的负荷宜由同一台变压器供电，负荷较大时，可选择2台或2台以上变压器。

2 设计负荷率不宜高于85%，并不宜低于60%。

3 变压器应靠近负荷中心。

14.1.9 装有两台及以上变压器的变电所，当其中任一台变压器停止运行时，其余变压器的容量应满足二级负荷用电的要求。

14.2 配 电

14.2.1 配电电压等级应符合下列规定：

1 高压宜采用10kV、6kV，新建选煤厂宜采用10kV。

2 低压宜采用660V、380V，中型及以上新建选煤厂宜采用660V。

3 照明及控制宜采用220V/380V。

14.2.2 当选用660V配电装置时，其变压器660V侧的中性点应经电阻接地，并应选用漏电保护装置作为系统单相接地的保护。电阻的选择应使系统产生的单相接地电流与所选用的漏电保护装置相配合，并应兼顾其可靠性和灵敏性的要求。

14.2.3 直接影响煤矿生产、铁路运输的原煤系统和装车系统应设两回电源，母线可分段。浓缩机应有一回备用电源。电力负荷集中的车间在选用2台或2台以上变压器时，主母线宜采用单母线分段接线。

14.2.4 车间变电所变压器二次侧宜采用母线引至低压配电室，裸母线不宜进入生产车间。

14.2.5 主要配电室的低压配电设备应有不少于15%的备用回路，并应预留不少于1个～2个盘或柜的位置。

14.2.6 低压配电设计应符合现行国家标准《低压配电设计规范》GB 50054、《通用用电设备配电设计规范》GB 50055的有关规定。

14.2.7 主要车间应设置充足的检修电源，并应在现场装设检修电源箱或插座。

14.2.8 电缆选择与敷设应符合现行国家标准《电力工程电缆设计规范》GB 50217 的有关规定。

14.2.9 选煤厂所有生产场所均应采用防水防尘型电气设备，其防护等级不宜低于 IP55；有爆炸危险的场所，电气设计应符合现行国家标准《爆炸危险环境电力装置设计规范》GB 50058 的有关规定。

14.2.10 10kV、6kV 电机配电装置宜采用熔断器配置真空接触器回路的开关柜。

14.2.11 10kV、6kV 电动机的保护和二次回路设计应符合现行国家标准《电力装置的继电保护和自动装置设计规范》GB/T 50062 的有关规定。

14.2.12 变电所、配电室的位置应根据选煤厂总平面布置及车间布置情况，经技术经济比较后确定。总体布置应符合下列规定：

1 宜靠近负荷中心。

2 宜远离振动源。

3 不宜设在蓄水装置下或多水场所。

4 进出线应方便。

5 严禁与变、配电室无关的管道通过。

6 不应跨沉降缝。

7 宜避开西晒。

8 应符合现行国家标准《建筑设计防火规范》GB 50016、《爆炸危险环境电力装置设计规范》GB 50058 的有关规定，并应符合现行煤炭行业有关防火规范的要求。

14.3 照明

14.3.1 供照明用的变压器宜与动力用变压器分别设置。照明和动力由同一台变压器供电时，线路应分开，距离较远的分散用户，也可合用一回线路供电。

14.3.2 主要生产车间的照明应设两个独立电源交叉供电。配电室、集中控制室应设备用照明，生产车间的主要出入口、楼梯间应设疏散照明。各场所应急照明的照度值应符合现行国家标准《建筑设计防火规范》GB 50016、《消防应急照明和疏散指示系统》GB 17945的规定，并应符合现行煤炭行业有关防火规范的规定。

14.3.3 选煤厂建筑照明标准值宜符合表14.3.3的规定。

表14.3.3 选煤厂建筑照明标准值

房间或场所	参考平面	照度标准值(lx)
生产车间	地面	100
仓	地面	75
地道、栈桥、楼梯间	地面	30
机修车间	0.75水平面	200
水泵房	地面	100
控制室	0.75水平面	400
配电装置室	0.75水平面	200
变压器室	地面	100
煤样室、化验室	0.75水平面	300
仓库	地面	50
露天储煤场	地面	10
加盖浓缩池	池周边人行走道	50
不加盖浓缩池	池周边人行走道	10

14.3.4 选煤厂所有生产场所的照明设备均应采用防水防尘型，且防护等级不宜低于IP55。有爆炸危险的场所，照明电气设计还应符合现行国家标准《爆炸危险环境电力装置设计规范》GB 50058的有关规定。

14.3.5 照明设备宜采用效率高、寿命长和维修方便的产品。

14.3.6 照明配电及控制应符合现行国家标准《建筑照明设计标准》GB 50034的有关规定。

14.4 防雷和接地

14.4.1 选煤厂建筑物的防雷分类、防雷措施及防雷装置应符合现行国家标准《建筑物防雷设计规范》GB 50057 的有关规定，并应符合下列规定：

1 在可能发生对地闪击的地区，下列建筑应划为第二类防雷建筑物：

1) 储存原煤和干煤产品的煤仓、封闭式储煤场、筛分破碎车间等建筑物；

2) 浮选药剂罐；

3) 预计雷击次数大于 0.25 次/a 的建筑物。

2 在可能发生对地闪击的地区，下列建筑应划为第三类防雷建筑物：

1) 预计雷击次数大于或等于 0.05 次/a 并小于或等于 0.25 次/a 的建筑物；

2) 在平均雷暴日大于 15d/a 的地区，高度在 15m 及以上的烟囱、水塔等孤立的高耸建筑物；

3) 在平均雷暴日小于或等于 15d/a 的地区，高度在 20m 及以上的烟囱、水塔等孤立的高耸建筑物。

14.4.2 除钢筋混凝土筒仓外，其他装设雷电保护的建筑物，宜利用钢筋混凝土柱和基础内的钢筋作为引下线和接地装置。各构件之间应连成电气通路。

14.4.3 防雷接地装置应与电气设备等接地装置共用，接地电阻应取其中最小者。

14.4.4 低压系统接地形式应符合下列规定：

1 660V 系统宜采用中性点经大电阻接地系统。

2 380V 系统宜采用 TN-C-S 型接地系统，爆炸危险场所应采用 TN-S 系统。

14.4.5 接地及等电位设计应符合现行国家标准《交流电气装置的接地设计规范》GB/T 50065、《爆炸危险环境电力装置设计规范》GB 50058 和《建筑物防雷设计规范》GB 50057 的有关规定。

14.5 控　　制

14.5.1 选煤厂主要工艺流程的设备宜全部纳入集中控制系统。控制系统宜由下列子系统组成：

1 原煤系统；

2 分选系统；

3 煤泥水处理系统；

4 干燥系统；

5 装车系统。

14.5.2 集中控制系统设计应符合下列规定：

1 应满足工艺要求，系统应可靠、灵活，操作应方便。

2 **集中控制系统设计必须具备集中(解锁)及就地(解锁)两种控制方式，两种控制方式应实现无扰动转换。**

3 集中控制方式应按逆煤流顺序起车、顺煤流顺序停车。

4 应设置起、停车预告信号，起车预告信号宜分系统设置。

5 在任何控制方式中，设备旁停车按钮均应有效；停车按钮宜选用自保型。

6 控制系统应设置紧急停车按钮。

7 各类机械设备与电气相关的安全措施均应纳入控制系统。

8 控制室应能显示设备运行、故障等工况，以及翻板、闸门位置和各种储存仓料位、主要水池(桶)液位等信号，并应能显示系统采集的其他各种信号。

14.5.3 生产系统集中控制宜采用可编程序控制器完成信号采集、设备连锁及设备起停等功能。可编程序控制器配置宜符合下列规定：

1 中型及以上选煤厂可编程序控制器的 CPU 宜冗余配置。

2 小型选煤厂可编程序控制器的 CPU 宜冷备。

3 离散量输入模块、离散量输出模块、模拟量输入模块，宜分别有5%～10%的备用量,并不应少于1块。

14.5.4 集中控制系统应配备数据存储设备,数据存储时间应符合下列规定:

1 甲烷、一氧化碳等重要测点的实时监测数据记录存储时间应保存7d以上。

2 模拟量统计值、各种故障报警及恢复时间等记录应保存1a以上。

14.5.5 集中控制系统供电电源的配置应符合下列规定:

1 集中控制室应采用双回路互投供电,并应配备不少于0.5h在线式不间断备用电源。

2 远程站宜双回路供电,并应配置净化电源装置。

14.5.6 选煤厂集中控制设计应采用成熟的控制技术和可靠性高、性能良好、维护方便的设备,设备选型还应满足环境要求。新产品、新技术应经试用考验并经鉴定合格后再在工程中采用。

14.5.7 柜、屏、台前后的运行、维护、操作场地及左右通道应满足设备正常运行、监控人员工作及安全的需要。

14.5.8 集中控制室宜设在独立的建筑物内,受条件限制时也可设在主厂房内,但应符合下列规定:

1 与集中控制室无关的管、线不应通过。

2 应远离振动源。

3 不宜设在蓄水装置下或多水场所。

4 不应跨在沉降缝上。

14.6 自 动 化

14.6.1 选煤厂下列系统或单机宜实现参数自动调节或自动控制:

1 重介分选系统;

2 浮选系统参数调节;

3 压滤系统;

4 干燥系统；

5 快速装车系统；

6 跳汰机；

7 加压过滤机；

8 空气压缩机；

9 浓缩机。

14.6.2 自动控制系统或自动化装置应具有手动与自动两种操作方式，两种方式应实现无扰动转换，并宜与集中控制系统联网，自动化装置应选用先进的技术和设备。

14.7 监测及保护

14.7.1 选煤厂宜对系统运行进行监测，监测信号应进入控制主机，监测项目应包括下列内容：

1 原煤和产品煤的数量、质量；

2 用电量；

3 耗水、耗油量；

4 主要煤仓的料位，主要水池、水箱的液位；

5 闸门、阀门、翻板位置；

6 重要设备和55kW及以上电动机的电流；

7 高压电动机定子绕组及轴承温度；

8 动力电缆集中的电缆桥架、电缆沟内的电缆温度；

9 重介分选系统参数；

10 浮选入料的流量和浓度；

11 存放高瓦斯煤的储存仓上、下及其他瓦斯与煤尘易聚集场所的甲烷和一氧化碳浓度；

12 工艺设备运行工况。

14.7.2 选煤厂应设置下列保护，保护信号应进入集中控制系统：

1 正反转设备应设电气闭锁保护，移动设备应设电气闭锁和机械闭锁保护。

2　带式输送机应设置拉绳、跑偏、打滑保护，重要带式输送机可设置纵向撕裂保护，运送干煤的重要带式输送机可设置烟温保护。

3　刮板输送机应设置断链保护。

4　带式输送机、刮板输送机机头溜槽及其他易发生堵塞的溜槽应设置堆煤保护。

14.8　通　　信

14.8.1　中心、矿区选煤厂应分别设置行政电话交换机和生产调度电话总机。矿井、群矿、用户选煤厂应设置生产调度电话总机，行政电话宜与矿井或主体项目的交换机合并。

14.8.2　行政电话交换机应采用程控电话交换机，交换机容量可根据近期用户数确定，并应留有20%～30%的备用量。生产调度电话总机宜选用程控调度电话总机，并应设在主控制室内。

14.8.3　通信干线的对数和配线设备应有20%～30%的备用量。

14.8.4　下列场所之间宜设置直通电话：

1　选煤厂变电所高压配电室和上一级变电所之间；

2　直接联系较多的生产岗位之间。

14.8.5　选煤厂宜配置无线电话对讲机，配置套数宜满足一班巡检人员使用。

14.8.6　通信系统设备选型应符合环境要求，并应符合下列规定：

1　噪声超过85dB的场所应采用抗噪声设备。

2　爆炸危险环境通信系统设备选型应符合现行国家标准《爆炸危险环境电力装置设计规范》GB 50058的有关规定。

14.9　工业电视系统

14.9.1　选煤厂宜设置工业电视系统。

14.9.2　摄像机的安装位置应能满足监视主要生产设备运行的要求。

14.9.3 工业电视系统设备选型应满足环境要求，工业电视系统配置宜根据实际情况确定，并宜预留 15%～30%的备用量。

14.9.4 工业电视系统应配备图像存储设备。存储设备的容量不应低于 30d 的图像信息量。

14.10 控制网络及计算机信息管理系统

14.10.1 集中控制系统及自动化网络应采用工业级设备，可支持多种网络拓扑结构和多重冗余方式。

14.10.2 选煤厂各自动化子系统宜采用基于 TCP/IP 协议标准的以太网接口接入集中控制系统网络交换机。

14.10.3 集中控制及自动化网络应与选煤厂计算机信息管理网络联网，并应采用物理隔离设施、制定适宜的网络安全策略。

14.10.4 中型及以上选煤厂宜构建基于标准 TCP/IP 协议和以太网技术的计算机信息管理网络。

14.10.5 计算机信息管理网络宜采用星形拓扑结构，核心层宜配置 2 台核心交换机或 1 台双引擎核心交换机互为热备。主干网络传输速率宜为 1000Mb/s。

14.10.6 计算机信息管理网络应实现与上级矿井或集团公司计算机中心网络联网，并应采用安全设施、制定适宜的网络安全策略。

14.10.7 计算机信息管理系统宜包括生产技术管理、生产统计管理、生产调度管理、煤质化验管理、生产运销管理、机电设备管理、人事工资管理、物资供应管理、办公自动化及综合查询等信息管理功能模块，并应建立办公自动化系统及应用软件模块。

14.10.8 计算机网络应采用综合布线系统。系统设计应符合现行国家标准《综合布线系统工程设计规范》GB 50311 的有关规定。

15 给水与排水

15.1 水 源

15.1.1 矿井、群矿或用户选煤厂的水源宜由矿井或用户统一解决。其他需要自行解决水源的选煤厂，应征得当地水资源行政管理部门的同意，并应领取“取水许可证”。确定水源所需的水文地质资料应符合现行国家标准《煤炭工业矿井设计规范》GB 50215、《煤炭工业给水排水设计规范》GB 50810 的有关规定。

15.1.2 选择水源时，应确保水量充足可靠，水质应符合现行国家标准《生活饮用水卫生标准》GB 5749、《城市污水再生利用 城市杂用水水质》GB/T 18920 的有关规定。当采用地下水或地表水作为水源，且在技术经济比较上差别不大时，应采用地下水作为生活饮用水的水源。在干旱、易沙化等生态脆弱地区，应防止因水源开采而引起的生态环境恶化现象。生产用水应利用经处理后的井下排水、露天矿疏干排水、生活污水复用水和电厂冷却水。在缺水严重地区，可对雨水进行资源化利用。

15.1.3 给水系统可根据用户对水质、水压、水量的不同要求，分质、分区、分用户供水。应提高水的循环利用率和重复利用率，必要时可设置回用水系统。

15.1.4 常规水源的日供水能力应符合现行国家标准《取水定额 第11部分：选煤》GB/T 18916.11 的有关规定。非常规水源的日供水能力，可按供水对象最高日用水量的 1.2 倍～1.5 倍确定。

15.2 室外给水排水

15.2.1 选煤厂用水应包括主要生产、辅助生产和附属生产用水。

选煤厂用水的常规水源取水定额应符合现行国家标准《取水定额　第11部分：选煤》GB/T 18916.11的有关规定。由非常规水源供水时，主要生产用水定额不宜大于0.15m^3/(t·入选原煤)，辅助生产用水定额不宜大于0.05m^3/(t·入选原煤)，附属生产用水定额不宜大于0.05m^3/(t·入选原煤)。

15.2.2　选煤厂行政福利建筑和工业企业建筑的最高日生活用水定额、用水时间和小时变化系数等，应符合现行国家标准《建筑给水排水设计规范》GB 50015的有关规定，并应符合表15.2.2-1的规定。绿化、道路浇洒用水定额应符合现行国家标准《建筑给水排水设计规范》GB 50015的有关规定，并应符合表15.2.2-2的规定。

表15.2.2-1　建筑最高日生活用水定额、用水时间和小时变化系数

序号	用水项目名称		单位	最高日生活用水定额	用水时间	小时变化系数
1	车间工人用水		L/(人·班)	30～50	8(h/班)	2.5～1.5
2	管理人员用水		L/(人·班)	30～50	8(h/班)	2.5～1.5
3	工业企业洗澡用水	淋浴用水	L/(人·次)	40	1(h/班)	1.0
		浴池用水	—	—	—	—
4	职工食堂用水		L/(人·餐)	20～25	20h	1.5
5	洗衣房用水		L/(kg·干衣)	40～80	12h	1.5～1.2

注：1　工业企业淋浴用水定额也可按300L/(个·h)～540L/(个·h)计。其最高日用水量应按最大班淋浴用水量的2.5倍计算。当淋浴全部由屋顶水箱供水时，水箱的充水时间可按2h取值，小时变化系数可按1.0取值。

2　工业企业浴池有效容积应按浴池面积乘以0.7m水深计，浴池最高日用水量应按每日使用三次计，浴池每次充水时间不应超过2h。

3　食堂用水的最高日用水量应按全日出勤总人数每人两餐计。

4　洗衣房的干衣量可按每人每周洗两次，每人每次1.2kg～1.5kg计。

表 15.2.2-2 绿化、道路浇洒用水定额

序号	用水项目	用水定额 [L/(m² · d)]	用水频率 (次/日)
1	绿化用水	1.0～3.0	1～2
2	道路浇洒用水	2.0～3.0	1～2

注:1 干旱地区的绿化用水定额可取为 3.0L/(m² · d)～4.0L/(m² · d)。

2 每次用水时间可根据实际情况确定。

15.2.3 选煤厂主要生产用水应根据选煤工艺流程等因素确定，辅助生产用水定额应符合表 15.2.3 的规定。

表 15.2.3 辅助生产用水定额

<table>
<tr><th>序号</th><th colspan="2">用水项目名称</th><th>单　位</th><th>用水定额
(%)</th><th>用水时间
(h/日)</th><th>小时变化系数</th></tr>
<tr><td>1</td><td colspan="2">真空泵、空气压缩机及其他需要冷却设备的冷却用水</td><td>以循环水量计</td><td>10</td><td>16</td><td>1.0</td></tr>
<tr><td rowspan="2">2</td><td rowspan="2">锅炉补充水(有集中供暖时)</td><td>蒸汽锅炉补充水</td><td>以锅炉总额定蒸发量计</td><td>20～40</td><td>16</td><td>1.0</td></tr>
<tr><td>热水锅炉补充水</td><td>以系统总循环水量计</td><td>2～4</td><td>16</td><td>1.0</td></tr>
<tr><td>3</td><td colspan="2">蒸汽锅炉补充水(无集中供暖时)</td><td>以锅炉总额定蒸发量计</td><td>60～80</td><td>16</td><td>1.0</td></tr>
<tr><td>4</td><td colspan="2">水泵轴封及冷却水</td><td>m³/(h · 台)</td><td>—</td><td>16</td><td>1.0</td></tr>
<tr><td>5</td><td colspan="2">室内湿式除尘用水</td><td>L/(min · 个)</td><td>—</td><td>16</td><td>1.0</td></tr>
<tr><td>6</td><td colspan="2">室外储煤场洒水除尘用水</td><td>m³/(h · 台)</td><td>—</td><td>—</td><td>1.0</td></tr>
</table>

15.2.4 室内地面冲洗给水定额，对原煤和干煤产品(除矸石外)

生产系统，可为4L/(m^2·次)～6L/(m^2·次)；对其他生产系统，可为2L/(m^2·次)～3L/(m^2·次)。冲洗次数可按每班一次、每日两次计算。

15.2.5 未预见用水量及管网漏失水量，可按主要生产、辅助生产、附属生产用水量之和的10%～15%设计。

15.2.6 消防用水量应按现行煤炭行业有关防火规范的规定确定。

15.2.7 选煤厂生活饮用水水质应符合现行国家标准《生活饮用水卫生标准》GB 5749的有关规定。冲厕、消防、道路浇洒、绿化用水水质应符合现行国家标准《城市污水再生利用 城市杂用水水质》GB/T 18920的有关规定。

15.2.8 选煤厂设备冷却水水质指标应符合表15.2.8的规定。

表15.2.8 冷却水水质指标

名称	指标
pH值	6.5～9.0
悬浮物含量(mg/L)	≤50
暂时硬度(mg/L)(以$CaCO_3$计)	≤214(进水温度低时，可提高)
含油量(mg/L)	5
有机物含量(mg/L)	25
进出水温差(℃)	≤25
排水温度(℃)	≤40

15.2.9 选煤用水的水质指标应符合表15.2.9的规定。

表15.2.9 选煤用水的水质指标

项目		指标
悬浮物含量	生产清水(mg/L)	≤50
	循环水(g/L)	≤80
悬浮物粒度(mm)		≤0.3(洒水除尘)
		≤0.7(其余)

续表 15.2.9

项目		指标
pH 值		6～9
总硬度(mg/L)(以 $CaCO_3$ 计)		≤500(水洗)
		≤143(浮选)

15.2.10 生产、生活水池有效容积应按事故用水量、调节水量之和计算。其中事故用水量可按 3h 最大生产、生活小时用水量计；调节水量应根据供水和用水关系曲线确定，当缺乏相关资料时，可按表 15.2.10 确定。

表 15.2.10 高位水池、高位水箱、水塔的调节容量

最高日用水量(m^3/d)	调节容量(%)
<300	30～25
300～500	25～20
500～1000	20～15
1000～5000	15～8
>5000	8～5

注：调节容量数值为占最高日用水量的比例(%)。

15.2.11 露天储煤场应设置洒水除尘设施；当原煤外在水分小于 7%时，封闭型储煤场宜设置洒水除尘设施。小型储煤场宜采用喷枪或喷雾机等洒水除尘设施，大中型储煤场宜采用喷枪或以喷枪为主的洒水除尘方式。

15.2.12 选煤厂的生活污水宜设计成分流系统，其处理深度应根据污水的数量和性质、污水排放地点、排放标准和污水回收利用等情况，经技术经济比较后确定。自选煤厂工业场地外排的污水，其水质应符合现行国家标准《污水综合排放标准》GB 8978 和《煤炭工业污染物排放标准》GB 20426 的相关规定。矿井、群矿和用户选煤厂生活污水宜与矿井或主体工程生活污水统一处理。

中心、矿区选煤厂生活污水应单独处理后回用。

15.2.13 选煤厂工业场地地面排水方式应采用排水沟，不宜采用排水管。

15.3 室内给水排水

15.3.1 选煤厂除矸石外的原煤和干煤产品各生产环节，当设置湿式除尘时，应设置室内冲洗给水设施；未设置湿式除尘时，宜设置室内冲洗给水设施。湿法加工的各生产环节，应设置室内冲洗给水设施。设置有室内冲洗给水的各车间，均应设置单独的室内冲洗排水系统，并应先汇集到室内最底层具有初步沉淀功能的集水坑中，再以压力排水方式直接或间接排至处理设施中。

15.3.2 当给水管网中的正常水压不能满足个别高位用水点的要求时，宜采取局部增压措施。

15.3.3 浴室的淋浴设施宜采用设有温度控制设施的单管热水供应系统，也可采用双管供应系统。热媒在有条件的情况下宜选用太阳能。

15.3.4 翻车机房、受煤坑、半地下煤仓、地下构筑物和其他构筑物的地下室应设置排水设施。

15.3.5 生活用水、生产清水量不均衡系数宜为1.25。

15.3.6 饮水及开水供应应按现行国家标准《建筑给水排水设计规范》GB 50015的有关规定执行，并宜采用电热开水器。

15.3.7 生活污水量宜按相应生活给水量的85%～95%计算。

16 供暖与通风

16.1 供 暖

16.1.1 集中供暖系统的热媒，应根据当地气候特点和供热情况等条件，经技术经济比较确定，并应符合下列规定：

1 当厂区只有供暖用热或以供暖用热为主时，宜采用热水做热媒。

2 当生产工艺需要以蒸汽作为供热热源，且供暖供热负荷较小时，在不违反卫生、技术和节能要求的条件下，可采用蒸汽做热媒。

3 利用余热或天然热源供暖时，供暖热媒可根据具体情况确定。

4 改建或扩建的建筑物以及与原有热网相连接的新增建筑物，其供暖热媒宜与原有供暖热媒一致。

16.1.2 供暖室外空气参数宜采用当地气象台站提供的最近30年的气象数据。不足30年者，可按实有年份采用，但不得少于10年。无当地气象数据时，可采用现行国家标准《民用建筑供暖通风与空气调节设计规范》GB 50736中的相关数据，资料中未列出者，可采用地理条件相近城市的资料。

16.1.3 供暖地区的划分应符合下列规定：

1 累年日平均温度稳定低于或等于5℃的日数大于或等于90d的地区，应为供暖地区。

2 下列地区应为过渡供暖地区：

1) 累年日平均温度稳定低于或等于5℃的日数为60d～89d的地区。

2) 累年日平均温度稳定低于或等于5℃的日数小于60d，但稳定低于或等于8℃的日数大于或等于75d的地区。

3 除本条第1款和第2款规定的地区外,应为非供暖地区。

16.1.4 设置集中供暖的建筑物应符合下列规定:

1 经常有人工作、休息或对室温有一定要求的建筑物,应为供暖地区。

2 冷机加工、湿作业及重要的轻作业车间、浴室、更衣室、单身宿舍、食堂及其他类似的建筑物,应为过渡供暖地区。

3 浴室、更衣室及对室温有一定要求的建筑物,应为非供暖地区。

16.1.5 供暖室内计算温度应符合表16.1.5的规定。

表16.1.5 供暖室内计算温度

建筑物名称	室内温度(℃)
办公楼、化验室、集控室、值班室、宿舍楼	18
主厂房、压滤车间、浮选车间、机修车间	16
准备车间、水泵房、地磅房、煤样室、水处理车间	15
受煤坑、转载点、储煤仓、介质库、油泵房、油脂库、汽车库、空气压缩机房、翻车机房、干燥车间	10
输送机栈桥、输煤地道、封闭的浓缩池	8
热加工车间	10~12
冷加工车间	14~16
浴室、更衣室	25

注:1 采用辐射供暖时,可按表中温度降低2℃~3℃选取。

2 当作业人员逗留时间短,仅需保证设备、器材不冻时,应按5℃~8℃设值班供暖。

3 当工艺或使用条件有特殊要求时,各类建筑物的室内温度可按现行国家标准《煤炭工业供热通风与空气调节设计规范》GB/T 50466的有关规定执行。

16.1.6 可行性研究和初步设计阶段,建筑物供暖热负荷可按下式进行估算:

$$Q_h = q_h V_c (t_n - t_{wn}) \tag{16.1.6}$$

式中：Q_h——建筑物供暖设计热负荷(W)。

q_h——建筑物供暖热负荷指标，可按表 16.1.6 选取[W/(m³·℃)]。

V_c——供暖建筑物的建筑体积(m³)。

t_n——供暖室内计算温度(℃)。

t_{wn}——供暖室外计算温度(℃)。

表 16.1.6　建筑物供暖热负荷指标推荐值

建筑物名称	体积(×1000m³)	供暖热负荷指标[W/(m³·℃)]
准备车间	3.0~4.5	1.2~1.5
	4.5~6.0	0.9~1.2
	>6.0	0.8~0.9
装车仓	<5.0	1.4~1.7
	5.0~10.0	0.8~1.4
	>10.0	0.6~0.8
转载点	<0.5	2.8~3.7
	0.5~1.5	1.7~2.8
	>1.5	1.3~1.7
输送机栈桥	—	3.3~4.1
介质准备车间	—	1.7~2.0
压滤车间 浮选车间	<7.0	1.1~1.2
	7.0~8.0	0.7~1.1
	>8.0	0.6~0.7
浓缩车间	0.5~1.0	2.1~2.5
	1.0~2.0	1.4~2.1
	>2.0	0.8~1.4
干燥车间	5.0~10.0	0.9~1.0
	10.0~15.0	0.7~0.9
	>15.0	0.5~0.7

续表 16.1.6

建筑物名称	体积（×1000m^3）	供暖热负荷指标[W/(m^3·℃)]
主厂房	20.0～30.0	0.8～1.0
	＞30.0	0.6～0.8
汽车库	＜0.5	1.9～2.5
	0.5～2.0	1.7～1.9
	2.0～3.0	1.5～1.7
	＞3.0	1.4～1.5
煤样室	≤0.5	0.8～2.1
	＞0.5	1.3～1.8
材料库	—	2.0～2.3
浮选药剂站 油泵房、油脂库	≤0.2	2.1
	＞0.2	1.6～2.1
水泵房	＜0.1	2.9～3.5
	0.1～0.4	2.0～2.9
	＞0.4	1.2～2.0
机修车间	＜1.5	0.6
	1.5～3.0	1.4～1.6
	3.0～5.0	1.2～1.4
	5.0～7.0	0.9～1.2
	7.0～10.0	0.8～0.9
空气压缩机房	＜0.5	1.9～2.3
	0.5～1.0	1.6～1.9
	＞1.0	1.2～1.6
通风机房	＜0.5	1.9～2.1
	0.5～1.0	1.5～1.9
	＞1.0	1.2～1.5

续表 16.1.6

建筑物名称	体积(×1000m^3)	供暖热负荷指标[W/(m^3·℃)]
办公楼、化验楼	＜2.0	2.1～2.3
	2.0～5.0	1.4～2.1
	5.0～10.0	0.9～1.4
	＞10.0	0.7～0.9
浴室	＜3.0	1.5～1.7
	3.0～5.0	1.2～1.5
	5.0～7.0	1.1～1.2
	7.0～10.0	0.9～1.1
食堂	＜1.5	1.3～1.5
	1.5～3.0	1.1～1.3
	＞3.0	0.8～1.1

16.1.7 对于大空间建筑，当采用散热器布置有困难时，宜采用与热风供暖相结合的供热方式；对于人均占用建筑面积超过100m^2的厂房，宜在固定工作地点设置局部供暖，当工作地点不固定时，应设置取暖室。

16.1.8 位于严寒地区的生产厂房，对不设门斗和前室且经常开启的外门，宜设置热空气幕。

16.1.9 热空气幕的送风方式应符合下列规定：

1 公共建筑宜采用由上向下送风。

2 工业建筑，当外门宽度小于3m时，宜采用单侧送风；当外门宽度大于3m时，宜采用双侧送风或由上向下送风。采用侧面送风时，外门不应向内开启。

16.1.10 选煤厂应采用热电厂或区域锅炉房作为热源，当自建供热锅炉房时，锅炉房的设计应按现行国家标准《锅炉房设计规范》GB 50041的有关规定执行。供暖系统的热媒宜按本规范第16.1.2条的规定选取。

16.1.11 集中供暖的房间总排风量超过每小时3次换气量时，应设补风加热装置。其热风量可按排风量的50%～70%计算。

16.2 通风除尘

16.2.1 产生大量余热或余湿的建筑物宜采取自然通风方式。当自然通风达不到卫生或生产要求时，应设置机械通风。

16.2.2 产生余热、余湿及有害物质的区域，宜设置局部排风系统。当局部排风达不到卫生要求时，应辅以全面排风或采用全面排风。

16.2.3 产生热量较大的变频器室、变流器室应采取降温措施。

16.2.4 生产调度中心、集控室等应设空调设施。

16.2.5 原料煤来自高瓦斯矿井和煤与瓦斯突出矿井时，通风设计应符合现行煤炭行业有关防火规范的规定。原料煤来自瓦斯矿井时，通风设计应符合下列规定：

1 原煤仓、精中煤仓、封闭式储煤场应设自然排风装置，当采用自然排风装置不能满足要求时，应设机械排风装置。煤仓排风装置的排风量宜按煤仓容积计算，换气次数宜为0.5次/h～1.0次/h；封闭式储煤场排风量宜按换气次数不小于0.5次/h～1.0次/h计算。

2 受煤坑、输煤地道应设置机械通风装置，通风量应按换气次数不小于12次/h计算，且气流方向宜与输送机运行方向相同。

3 受煤坑、输煤地道的通风宜由经常使用的通风系统和事故通风系统共同保证。经常使用的通风系统排风量应符合下列规定：

1）设备有密闭，并采取防尘、降尘、除尘措施时，排风量可按换气次数不小于6次/h计算；

2）设备无密闭时，排风量应按换气次数不小于12次/h计算。

16.2.6 设置机械送风系统时，进风口的设置应符合下列规定：

1 进风口应设在室外空气较清洁的地点；

2 进风口的下缘距室外地坪不宜小于2m，当设在绿化地带时，不宜小于1m。

16.2.7 原煤的外在水分小于7%且有粉尘产生的设备或生产环节，应设置防尘、降尘或除尘装置。

16.2.8 除尘通风机、补风加热装置应与工艺设备电气连锁，并应比工艺设备提前起动、滞后停止。

16.3 室外供热管道

16.3.1 热力管道的设计流量应根据热负荷计算确定。热负荷应包括近期发展的需要量。

16.3.2 蒸汽供热管网宜采用枝状布置。

16.3.3 热水供热管网宜采用异程式枝状布置，供回水管道的相应管段管径宜相同。

16.3.4 室外热力管道的公称直径不应小于25mm。

16.3.5 蒸汽供热系统的凝结水应回收利用，凝结水回收率不应低于70%。当回收确有困难时，宜利用其热量。

16.3.6 供热管道的敷设方式，应根据气象、水文、地质、地形等条件和施工、运行、维护方便等因素确定。在条件满足时，供热管道宜采用直埋方式敷设。符合下列情况之一时，宜采用架空方式敷设：

1 地下水位高或年降雨量大；

2 土壤具有较强的腐蚀性；

3 当室外有架空的工艺或其他动力等管道，可与之共架敷设时。

16.3.7 供热管道的保温应符合现行行业标准《城镇供热管网设计规范》CJJ 34的有关规定，直埋敷设的供热管道应符合现行行业标准《城镇供热直埋热水管道技术规程》CJJ/T 81和《城镇供热直埋蒸汽管道技术规程》CJJ/T 104的有关规定。

16.3.8 通行地沟、半通行地沟应有较好的自然通风。通行地沟的人孔间距不宜大于200m，装有蒸汽管道时不宜大于100m；半通行地沟的人孔间距不宜大于100m，装有蒸汽管道时不宜大于60m。人孔口高出地面不应小于0.15m。

16.3.9 地沟宜设置在最高地下水位以上，并应采取防止地面水渗入沟内的措施，地沟沟底宜有顺地面坡向的纵向坡度，地沟盖板上面宜有覆土。

16.3.10 热力管道不应与输送易挥发、易爆、有害、有腐蚀性介质的管道和输送易燃液体、可燃气体、惰性气体的管道敷设在同一地沟内。

17 建筑物与构筑物

17.1 一般规定

17.1.1 建(构)筑物设计应具备近期实测地形图、气象和相应阶段的岩土工程勘察报告等原始资料。

17.1.2 改建、扩建工程应利用已有建(构)筑物,并应对既有结构进行可靠性鉴定、杆件验算或重新设计,改建、扩建设计时应兼顾生产。

17.1.3 建(构)筑物的节能设计应满足建筑功能和使用质量的要求。

17.1.4 主要建(构)筑物的结构形式应根据生产的重要性、结构耐久性和使用要求,并结合材料来源和施工条件,经技术经济比较后选择。

17.1.5 选煤厂生产、运输、储存物品的火灾危险性类别,厂房、仓库的耐火等级应符合现行国家标准《建筑设计防火规范》GB 50016和现行煤炭行业有关防火规范的规定。

17.1.6 建(构)筑物疏散及安全出口的设置应符合现行煤炭行业有关防火规范的规定。

17.1.7 建(构)筑物楼面均布活荷载应按现行国家标准《选煤厂建筑结构设计规范》GB 50583 的有关规定执行。

17.1.8 主要厂房、栈桥及地道室内通道的最小净宽度应符合表17.1.8 的规定,并应符合现行煤炭行业有关防火规范的相关规定。

表 17.1.8 主要厂房、栈桥及地道室内通道的最小净宽度(m)

建筑物名称	检修道净宽度	人行道净宽度		备注
		距设备运转部分	距设备固定部分	
主厂房、准备车间、压滤车间	0.7	1.0	0.7	—

续表 17.1.8

建筑物名称	检修道净宽度	人行道净宽度		备　注
		距设备运转部分	距设备固定部分	
栈桥	0.5	—	1.0	双输送机栈桥中间人行道宽度≥1.0m
地道	0.7	—	1.2	地道两端均有出口
	1.1	—	1.1	尽端式

注：当栈桥或地道内布置有电缆桥架、水管、供暖设备及管网时，将其综合需要宽度加入栈桥或地道的相应宽度内。

17.2 主要建筑

17.2.1 煤仓(场)设计应符合下列规定：

1 结构类型应根据选煤厂服务年限、工艺要求、工程地质和施工条件等因素，经技术比较后确定。

2 当仓容量较大时，应采用钢筋混凝土圆筒仓；多品种煤需要分仓储存时，可采用钢筋混凝土方仓；当有地形可利用且地基适宜时，可采用滑坡式煤仓；当地基良好、工艺允许时，宜建高仓；当要求仓储能力特别大时，宜采用半地下式储仓。

3 储煤场宜采用封闭式结构，其围护结构及顶盖应采用轻质材料。

4 楼层上的配煤孔洞应设置防护栏杆、箅子或活动盖板。

5 严寒地区的煤仓应采取仓体保温及仓口防冻措施，楼梯间宜封闭。

6 跨线煤仓或滑坡仓应预留地基沉陷对铁路建筑限界的影响间距，并应符合有关铁路限界的规定。

17.2.2 主厂房、重介、浮选、干燥、压滤和准备车间的设计应符合下列规定：

1 厂房应根据工艺及设备布置采用合理的结构形式，厂房体型宜力求简单、规则整齐，并宜避免高低错落、凹进凸出。

2 厂房宜设楼梯间。操作人员常在的楼层宜设厕所。主厂房可根据厂房布置、检修要求等需要设置客、货两用电梯。

3 对承受动荷载的结构杆件应进行动力计算。如有充分依据时，可将重物或设备的荷载乘以动力系数后，按静荷计算；真空泵、离心机、大型筛分破碎设备、大型带式输送机机头等，应根据结构布置情况加大其支撑结构刚度。

4 厂房各楼层洞孔应沿其周边设挡水堰。

5 干燥车间与其他车间联合建筑时，应在防火分区处设防火隔墙。

6 集中控制室宜与主厂房主体结构分离布置；集中控制室、配电室的地面应采用不易起尘的建筑材料，控制室的门、窗应为密闭门和双层隔音窗。

7 对厂房内噪声较大的机电设备，应采取隔声、消声措施。

8 浮选车间应采取通风措施。

17.2.3 翻车机房及受煤坑的设计应符合下列规定：

1 标准轨距翻车机房及受煤坑应采用钢筋混凝土结构，窄轨翻车机房及浅受煤坑宜采用砌体或混凝土结构。

2 受煤坑应设顶盖，并应满足机车通过的要求。受煤坑底面两侧的围护高度宜高出地面1.2m～1.5m。严寒地区原煤外在水分大于7%时，受煤坑应采取保温措施。

3 受煤坑的地下建筑应采取通风、除尘和排水措施。其返煤地道应设置安装孔、通风孔及不少于两个安全出口；单个漏斗的受煤坑或尽端式地道，其安全出口和通道的净宽可按现行煤炭行业有关防火规范的有关规定执行。

4 受煤坑或翻车机房应设工人休息室。

17.2.4 煤泥水系统的构筑物设计应符合下列规定：

1 高架式浓缩池应采用钢筋混凝土结构，落地式浓缩池可根据具体条件采用钢筋混凝土结构、混凝土或砌体结构；当浓缩池直径为30m及以上且温差较大时，池体应计算温度应力；当浓缩池直径为45m及以上时，应采用预应力钢筋混凝土池壁。

2 沉淀塔的支承结构宜采用钢筋混凝土结构。

3 煤泥沉淀池可根据池高、地下水位及环境保护采用钢筋混凝土结构、混凝土结构或砌体结构。当采用抓斗清理煤泥时，池底应采取抗冲击措施。

4 对落地式水池，当地下水位较高时，应进行水池的抗浮设计。

17.2.5 带式输送机栈桥和地道设计应符合下列规定：

1 栈桥支承结构应根据栈桥的支承高度及在总平面的位置采用相应的结构形式。

2 栈桥的跨间结构应根据地震烈度、使用功能、跨度大小及栈桥高度采用钢筋混凝土结构或钢结构。

3 当气候等条件允许时，栈桥的上部建筑可采用敞开或半敞开式。

4 栈桥的支架结构不宜埋入煤堆中，当受条件限制无法避开时，栈桥应减少支架，并应加大跨度，且支架宜采用圆形截面，设计中应采取防止煤的自燃及装卸机具对支架碰撞的措施。

5 栈桥、地道垂直于斜面的净高不应小于2.2m，当为拱形结构时，其拱脚高度不应小于1.8m。

6 人行道和检修道的坡度大于5°时，应设防滑条；坡度大于8°时，应设踏步。

7 带式输送机栈桥楼板留缝处均应设挡水堰、水槽或地漏。

17.3 辅助建筑

17.3.1 选煤厂行政、公共建筑项目及建筑面积指标可由建设方自行确定，也可按本规范附录A选取。

17.3.2 煤样室、化验室的建筑面积可由建设方自行确定，也可按本规范附录A选取。

17.3.3 化验室可与厂办公室合建，且应设置在底层端部，天平室、发热量测量室宜设在北向房间。煤样室宜设在主厂房底层。

17.3.4 矿井、群矿、用户选煤厂的居住区应与矿井或主体工程的居住区统一规划建设，中心、矿区选煤厂居住区可自行规划或由矿区统一规划。

17.3.5 单身宿舍建筑面积宜取每单身职工 $15m^2 \sim 18m^2$，职工单眷比宜按实际情况确定。住宅及其公用设施应依托社会解决。

18 技术经济

18.1 一般规定

18.1.1 选煤厂初步可行性研究和可行性研究应编制投资估算、进行经济评价和技术经济综合评价。初步设计应编制概算，必要时应进行投资分析。

18.1.2 选煤厂技术经济除应符合本规范的规定外，还应执行国家或行业现行的工程造价管理和经济评价等相关规定。

18.2 劳动生产率

18.2.1 选煤厂劳动定员应根据设计生产能力、工作制度、机械装备水平、自动化水平、系统环节、管理方式及机构设置等因素确定。劳动定员应包括煤炭洗选工程达到设计生产能力时所需的全部生产工人和管理人员。服务人员和其他人员不计入劳动定员，可酌情配置。劳动定员的在籍人数，应按各类人员的出勤人数乘以各类人员的在籍系数确定。在籍系数应考虑节假日、病假、事假、轮休等因素，宜采用下列系数：

1 管理人员在籍系数取 1.0。

2 生产工人在籍系数取 1.4～1.5。

18.2.2 选煤厂初步可行性研究、可行性研究和初步设计，均应计算生产工人效率和全员效率，生产工人效率和全员效率可按下列公式计算：

$$生产工人效率=\frac{设计原煤日产量}{每日生产工人出勤人数} \quad (18.2.2\text{-}1)$$

$$全员效率=\frac{设计原煤日产量}{每日生产人员出勤人数} \quad (18.2.2\text{-}2)$$

18.2.3 选煤厂全员效率指标应符合表 18.2.3 的规定。

表 18.2.3 选煤厂全员效率指标

厂　　型	设计生产能力（Mt/a）	选煤厂类型	全员效率指标（t/工）
特大型厂	10.00 以上	矿井、群矿及用户	≥100
		矿区、中心	≥80
大型厂	3.00～8.00	矿井、群矿及用户	≥80
		矿区、中心	≥60
	1.20～2.40	矿井、群矿及用户	≥60
		矿区、中心	≥45
中型厂	0.45～0.90	矿井、群矿及用户	≥50
		矿区、中心	≥35
小型厂	0.30 及以下	矿井、群矿及用户	≥20

18.3 投资估算及概算

18.3.1 选煤厂初步可行性研究估算的项目总投资误差率应控制在±20％以内。其投资估算应按生产系统或环节做出投资估算汇总表，必要时应对投资的合理性做出分析。

18.3.2 选煤厂可行性研究估算的项目总投资误差率应控制在±10％以内。可行性研究估算的总投资一经批准，应作为工程造价的限额依据（按可比价格计算）。

18.3.3 选煤厂初步设计概算的编制应按设计工程量计算，必要时应对投资进行分析。初步设计概算应作为控制工程造价的基准。

18.3.4 选煤厂建设过程中，因工程建设条件变化需要进行概算调整时，已完工程应按实际结算计列，未完工程可按概算要求编制，并应进行投资对比分析。

18.4 经济评价

18.4.1 选煤厂投资分配应按设计建设工期、资金筹措方案确定。

18.4.2 选煤厂项目资本金总额的确定应执行国家现行有关规定。

18.4.3 选煤厂经济评价采用的方法与参数应按国家现行有关规定执行。

18.5 技术经济综合评价

18.5.1 选煤厂初步可行性研究应根据原料煤资源情况和外部建设条件、市场调查与分析、企业发展、主要技术方案、资金筹措及投资效果等，对项目立项的必要性和可行性进行综合评价。

18.5.2 选煤厂可行性研究应根据井田勘探地质报告提供的资源条件、进一步调查、协议和落实的外部建设条件，落实煤炭产品的市场情况、详细的设计方案、投资效果的进一步分析等，对选煤厂建设的可行性和合理性进行综合评价。

附录A 选煤厂辅助建筑面积指标

A.0.1 选煤厂行政、公共建筑面积指标可按表A.0.1选取。

表A.0.1 选煤厂行政、公共建筑面积指标

序号	名称		指标	备注
1	厂办公室		22m²/人～24m²/人	按管理人员计，不包括化验室、集中控制室、办公自动化网络用房及通讯室
2	交接班室		50m²/班组～70m²/班组	按3个～4个生产班组
3	浴室	更衣室	1.05m²/人～1.25m²/人	按在籍人员计，女职工占40%
		洗浴间	0.85m²/人～1.00m²/人	按大班生产人员数的1.35倍计
		辅助用房	0.40m²/人～0.45m²/人	按在籍人员计
4	食堂		1.80m²/人～2.00m²/人	按在籍人员计
5	门卫室	主入口	50m²～60m²	—
		次入口	25m²/处	—
6	公共厕所		30m²/处	根据需要设1处～2处

A.0.2 煤样室、化验室建筑面积指标可按表A.0.2选取。

表A.0.2 煤样室、化验室建筑面积指标

设计生产能力(Mt/a)	< 0.9	1.2～6.0	>8.0
生产煤样室(m²)	80～110	120～160	150～180
销售煤样室(m²)	90	110	110
化验室(m²)	70～140	130～220	150～320

本规范用词说明

1 为便于在执行本规范条文时区别对待，对要求严格程度不同的用词说明如下：

1）表示很严格，非这样做不可的：

正面词采用“必须”，反面词采用“严禁”；

2）表示严格，在正常情况下均应这样做的：

正面词采用“应”，反面词采用“不应”或“不得”；

3）表示允许稍有选择，在条件许可时首先应这样做的：

正面词采用“宜”，反面词采用“不宜”；

4）表示有选择，在一定条件下可以这样做的，采用“可”。

2 条文中指明应按其他有关标准执行的写法为：“应符合……的规定”或“应按……执行”。

引用标准名录

《工业企业标准轨距铁路设计规范》GBJ 12
《厂矿道路设计规范》GBJ 22
《建筑给水排水设计规范》GB 50015
《建筑设计防火规范》GB 50016
《建筑照明设计标准》GB 50034
《锅炉房设计规范》GB 50041
《供配电系统设计规范》GB 50052
《低压配电设计规范》GB 50054
《通用用电设备配电设计规范》GB 50055
《建筑物防雷设计规范》GB 50057
《爆炸危险环境电力装置设计规范》GB 50058
《3～110kV 高压配电装置设计规范》GB 50060
《电力装置的继电保护和自动装置设计规范》GB/T 50062
《交流电气装置的接地设计规范》GB/T 50065
《架空索道工程技术规范》GB 50127
《煤炭工业矿井设计规范》GB 50215
《电力工程电缆设计规范》GB 50217
《综合布线系统工程设计规范》GB 50311
《煤炭工业矿区总体规划规范》GB 50465
《煤炭工业供热通风与空气调节设计规范》GB/T 50466
《选煤厂建筑结构设计规范》GB 50583
《民用建筑供暖通风与空气调节设计规范》GB 50736
《煤炭工业给水排水设计规范》GB 50810
《标准轨距铁路建筑限界》GB 146.2

《工业企业厂内铁路、道路运输安全规程》GB 4387
《生活饮用水卫生标准》GB 5749
《污水综合排放标准》GB 8978
《锅炉大气污染物排放标准》GB 13271
《用能单位能源计量器具配备和管理通则》GB 17167
《消防应急照明和疏散指示系统》GB 17945
《煤炭工业污染物排放标准》GB 20426
《煤粉(泥)实验室单元浮选试验方法》GB/T 4757
《煤炭可选性评定方法》GB/T 16417
《煤炭产品品种和等级划分》GB/T 17608
《取水定额　第11部分:选煤》GB/T 18916.11
《城市污水再生利用　城市杂用水水质》GB/T 18920
《稀缺、特殊煤炭资源的划分与利用》GB/T 26128
《煤矸石利用技术导则》GB/T 29163
《煤炭企业能源计量器具配备和管理要求》GB/T 29453
《城镇供热管网设计规范》CJJ 34
《城镇供热直埋蒸汽管道技术规程》CJJ/T 104
《城镇供热直埋热水管道技术规程》CJJ/T 81
《公路工程技术标准》JTG B01
《选煤实验室分步释放浮选试验方法》MT/T 144

中华人民共和国国家标准

煤炭洗选工程设计规范

GB 50359 - 2016

条 文 说 明

编 制 说 明

《煤炭洗选工程设计规范》GB 50359—2016，由住房城乡建设部2016年8月18日以第1265号公告批准发布。

本规范上一版的主编单位是中煤国际工程集团北京华宇工程有限公司，参编单位是中煤国际工程集团平顶山选煤设计研究院、煤炭工业太原设计研究院，主要起草人是邓晓阳、吴影、张启林、周少雷、仇汉江、侯甫志、王松成、纪金连、李明辉、曹鹰、石剑峰、张之立、付勇、钟彦廷、周邦禄、李建霞、张剑锋、邢玉兴、吴心静。

为便于勘察、设计、施工、科研、学校等单位有关人员在使用本规范时能理解和执行条文规定，《煤炭洗选工程设计规范》编制组按照章、节、条顺序编制了本规范的条文说明，对条文规定的目的、依据以及执行中需要注意的有关事项进行了说明，还着重对强制性条文的强制性理由做了解释。但是，本条文说明不具备与规范正文同等的法律效力，仅供使用者作为理解和把握规范规定的参考。

目　　次

1 总　　则

1.0.1 制定本规范的目的是规范市场经济条件下、投资体制改革后的煤炭洗选工程设计及建设行为。

1.0.2 本条规定了本规范的适用范围。煤炭洗选工程可包括选煤厂、干选厂和筛选厂。近年我国大力兴建的储配煤中心、国家煤炭应急储备基地，其核心内容与选煤厂的储、装、运系统基本相同，因此本规范也适用。

1.0.3 本条强调了煤炭加工利用的基本方针；明确要对动力用煤进行加工的要求，提高煤炭品质，不允许直销原煤。

大气污染中的二氧化硫、氮氧化物和烟（粉）尘排放绝大多数是电力、热力生产和供应业的贡献，即燃煤的贡献。为了国民经济的可持续发展，应开发与利用并重。因此动力煤应进行加工，为用户提供品种和质量合格的煤炭产品，同时减少污染物的排放。

2 基本规定

2.0.1 近年我国选煤厂规模提升很快。到目前为止，选煤厂最大规模已到 32.00Mt/a，因此本次规范修订增加了“特大型”选煤厂厂型。

2.0.2 选煤厂工作制度应与原料煤矿井的工作制度相协调。现行国家标准《煤炭工业矿井设计规范》GB 50215 对《煤炭工业矿井设计规范》GB 50215—2005 中的工作制度做了修改，年工作 330d、日工作 16h 改为年工作 330d，每天提煤时间 18h，每天工作制度地面“三八”制，井下“四六”制。这样，原煤储存设施就成了划分矿井和选煤厂的节点，直接接受矿井来煤的矿井和群矿选煤厂原煤受煤及储存系统的工作制度就必须与矿井工作制度相同，为 18h；对于中心、用户及其他原料煤不是直接来自矿井的选煤厂，原煤受煤和储存设施前后的工作制度可统一为 16h，以便于管理，并与矿井地面“三八”制工作制度相协调。

2.0.3 服务年限不是影响选煤厂设计的主要因素。考虑到选煤厂与其上、下游企业（矿井、选后产品用户）在原料煤或产品供应上的相互关联性，选煤厂的服务年限一般应与矿井或主体项目相同。但对于扩建选煤厂，应充分考虑扩建后剩余的煤炭煤源情况和主体构筑物的服务年限，合理确定扩建后选煤厂规模。

2.0.4 本条提及的“原煤储存设施”可以是各种类型的仓、储煤场等能平衡矿井来煤或外来煤与选煤厂之间煤流不均衡性，对入选煤厂原煤起缓冲作用的设施。

不均衡系数的选取以原煤储存设施为节点。在原煤储存设施之前的不均衡系数与来煤方式有直接关系，根据不同来煤方式分别选取；在原煤储存设施之后，由于有了原煤储存设施的缓冲，可不考虑来煤的影响，而根据所选取的分选工艺确定不均衡系数。采用块、末煤分级入选工艺时，由于受井下开采情况影响，块、末煤产率可能会在某些时间段发生变化。因此，本次修订加大了块、末煤分级入选工艺煤流系统的不均衡系数，同时也加大了煤泥水系统的不均衡系数。其他工艺包括块煤分选和不分级入选工艺，煤流系统不均衡系数与原规范相同，为1.15。

对于重介悬浮液系统，由于重介分选设备本身的选型特点，规定其取1.15。

在煤泥水系统不均衡系数的选取时应注意，系统中的水和煤泥的不均衡性是有差别的。由于煤质资料的准确性不易掌握，实际生产时煤泥量的变化通常较大，所以对于煤泥回收设备如离心机、压滤机等选型时应适当加大不均衡系数。但设备选定后，进入系统的水量基本是定数，所需要处理的水量也不会有大的变动，所以水处理设施的不均衡系数可按通常的1.15选取。

2.0.5 合理利用煤炭资源是实现可持续发展的基础保障。本条根据现行国家标准《稀缺、特殊煤炭资源的划分与利用》GB/T 26128和《特殊和稀缺煤类开发利用管理暂行规定》(2012年发改委第16号令)，规定了要在煤炭洗选工程咨询、设计阶段对煤炭资源的稀缺、特殊性进行评价，并规定了其在加工利用方面的要求。明确要对稀缺、特殊煤类进行保护性利用，限制其作为燃料直接利用。

2.0.6 为了减少重复建设，简化矿井工业场地设施，群矿和矿井选煤厂的电源、热源、水源和公共设施应与矿井统一设计。

2.0.7 本条规定是环境保护、节约水资源和可持续发展的需要。实现洗水闭路循环，可最大限度地对水资源进行回收利用，减少废水外排，是节能和环保的需要。因此将本条作为强制性条文。

3 受煤与原煤储存

3.1 受　煤

3.1.1 标准轨距车辆来煤时，受煤坑、浅受煤槽的长度可采用同时卸车车辆数加3m～5m停车附加长度。同时卸车车辆数可根据站场布置、对卸煤时间的要求等因素确定，也可采用4辆～6辆车辆长度。

受煤坑、浅受煤槽上只要求“设置可靠的”调车、卸车设施。采用何种调车、卸车设施是设计解决的问题。

与原规范比较，本次修订增加了汽车来煤时，应采用受煤坑受煤的规定，其用意是受煤坑集中有组织受煤便于采取抑尘措施，减少扬尘量。本次修订对汽车受煤坑的有效容量也做了修改，取运煤汽车的单车运量的2倍作为受煤坑容量，更贴合实际。

3.1.2 目前，我国的设备制造业有了很大进步，准轨铁路出现了二翻、三翻、四翻翻车机，对翻车机受煤仓容量的规定也相应进行了修改，没有规定受煤仓容量大小，而是以一次卸载车辆净载重为基础，规定了不小于一次卸载车辆净载重2倍的下限。

3.2 原煤储存

3.2.1 设置原煤储存设施的目的有二，一是对矿井或外来煤的缓冲，保证矿井正常生产、满足选煤厂均衡给料。现行国家标准《煤炭工业矿井设计规范》GB 50215将矿井工作制度改为地面“三八”制、井下“四六”制，即矿井日提煤时间为18h，地面生产系统日工作16h，若无原煤储存设施的缓冲，矿井、群矿选煤厂日工作16h无法保证矿井正常生产。二是实现原煤的均质化，提高分选效率。堆取料机储煤场、落煤筒（溢流窗）式储煤场、栈桥式储煤场、半地下煤仓、槽仓或筒仓等都可以实现原煤的缓冲和均质化，可由设计选定。

3.2.2 设置原煤及产品煤储存设施的目的是调节选煤厂生产与原料煤供应、产品运输、产品市场之间的不均衡性，保证矿井及选煤厂能够正常生产。选前储煤和选后储煤都能不同程度地达到此目的。可以多储原煤，也可多储产品，因地制宜。由于现行国家标准《煤炭工业矿井设计规范》GB 50215 井上、井下工作制度不同，为保证矿井正常生产，规定原料煤应有不小于矿井 1d 设计生产能力的储存量。

3.2.3 根据实际情况，在线原煤储存仓（即中间原煤仓）的有效容量为一个班的选煤厂设计处理量即可满足调节矿井与选煤厂之间工作制度的差异、满足选煤厂均衡给料的要求。因此，本规范将在线原煤储存仓（中间原煤仓）的容量定为“不小于 8h 设计能力”。当大容量原煤储存设施为在线式时，储存设施本身即可起到缓冲作用，无须设置在线原煤储存仓。由于原煤储存设施之前的设备不均衡系数及工作制度与矿井提煤能力和矿井工作制度相同，原料煤储存仓布置在井口来煤与原煤准备车间之间，可减少原煤准备车间的设备处理能力，提高设备负荷率。

3.2.4 本条规定是环境保护的需要。

4 筛分、除杂与破碎

4.1 筛　　分

4.1.1 预先筛分、准备筛分及最终筛分的粒度和效率可根据相关因素综合选取。有时可适当降低预先筛分和准备筛分的效率要求，以减少筛分设备的面积和台数，使设计整体更趋合理。

4.1.2 筛分机的筛分效率、处理能力受入筛物料的性质(水分、粒度组成、泥化物料含量等)、筛分机的运动特性及结构形式、操作因素等方面的影响。因此设备选型时尽可能采用类似的生产数据。

表4.1.2中的倾斜式直线振动筛包括香蕉筛。当筛分设备用于脱介时，宜优先选用直线振动筛。

本规范第4、5章各表中所列指标都是生产实际经验的统计结果，可供设计参考。但由于选煤工艺设备种类、型号、生产厂家繁多，新设备也不断问世，所以本规范在规定了设备技术指标的同时，还增加了“或采用厂家提供的保证值”的内容。值得指出的是，厂家提供的保证值虽然在订货合同上具有约束力，但不能免除设计的责任。因此设计者应当综合考虑有关的具体使用条件，慎重采用。

4.2 除　　杂

4.2.1 本次规范修订明确了选煤厂不宜采用人工拣矸，旨在从提高生产效率、减少工人劳动强度等角度出发，尽可能采用机械排矸。从设计角度，也对手选系统做出了限制，即在设计环节中，手选矸石、手选矸石仓等内容不宜再出现。

4.2.2 检查性手选是原煤除杂的重要手段之一。对手选带式输送机速度、倾角的限制是从工业卫生、职业安全角度考虑，保证岗位工人安全的工作条件。

4.2.3 随着我国煤炭出口量的增加和煤炭用户对产品质量要求的不断提高，商品煤中的含杂量越来越受到重视，因杂质含量超标而受到用户罚款的现象屡有发生。因此对产品含杂率有要求的选煤厂宜设机械除杂设施。

4.3 破 碎

4.3.1 由于破碎机种类较多，不同类型的破碎机有其适宜的破碎粒度和破碎比，因此要根据实际入料情况和工艺流程要求选择适宜的破碎机，表 4.3.1 只列出了常用的几种二段破碎机，入料粒度大于 300mm 的一段破碎机处理能力可咨询设备生产厂家。新型齿辊破碎机（分级破碎机）适合煤炭的初碎和中碎，宜优先采用。当含矸量较高时，可选用颚式破碎机。

当破碎比大于 3 时，双齿辊破碎机处理能力会下降，选用时应加以注意。

4.3.2 破碎机前设置除铁装置是为了保护破碎机，使破碎机能够安全、正常运行。齿辊破碎机的齿牙、颚式破碎机的颚板以及反击式破碎机的冲击锤和反击板，碰到金属、铁器很容易损坏或被坚硬的铁器卡住。为了保护破碎机部件，必须使进入破碎机的物料不含金属、铁器。因为涉及设备安全、正常运行问题，故将本条作为强制性条文。

4.3.3 当原料煤矿井井下没有大块煤处理装置时，矿井提升出的原煤中会含有＋300mm 粒级的大块煤，进入选煤厂的生产系统后，有可能发生堵仓、损坏筛面等问题；如原煤准备系统没有大块煤破碎环节，还可能对后继的块煤分选造成影响。因此本次修订增加了当原料煤矿井井下没有大块煤处理装置时，选煤厂需设置大块煤处理环节的要求。

5 选　　煤

5.1 一般规定

5.1.1 在2012年国家发展和改革委员会第16号令《特殊和稀缺煤类开发利用管理暂行规定》中，对特殊和稀缺煤类的定义为“具有某种煤质特征、特殊性能和重要经济价值，资源储量相对较少的煤炭种类，包括肥煤、焦煤、瘦煤和无烟煤等”，并把1/3焦煤和气肥煤分别列入焦煤和肥煤之中。

根据现行国家标准《稀缺、特殊煤炭资源的划分与利用》GB/T 26128对稀缺、特殊煤炭资源划分与命名的规定，稀缺煤炭资源有“稀缺炼焦用煤”“稀缺高炉喷吹用无烟煤”“稀缺高炉喷吹用贫煤、贫瘦煤”和“特低灰、特低硫煤”4类；特殊煤炭资源有“高锗煤”“高腐植酸煤”“高腊褐煤”“特高挥发分、特高油含量煤”“高可磨性、低灰煤”“高活性、低灰煤”“高密度、低灰、低硫无烟煤”和“特低铁、低灰分煤”8类。该标准还对稀缺、特殊煤炭资源的利用和保护做出了规定。在煤炭资源开发利用以前，应对煤炭资源的稀缺性、特殊性进行评价，并要按标准规定的优先用途进行利用。

5.1.2 分选上限确定的主要依据是所选择的选煤工艺和分选设备。

5.1.3 稀缺炼焦用煤因资源紧缺，应尽可能多入选，降低分选下限，分选下限为0。

非稀缺炼焦用煤和高炉喷吹用煤由于用量相对较少，对于规模较大的选煤厂，可生产部分炼焦用煤和喷吹用煤，部分作为其他用煤。这样，分选下限可为0，也可大于0。

化工用煤主要用于气化和液化。为了提高煤气化的气化率、减少气化后的煤渣排放量、减少气化用煤的无效运输量，应对气化用煤进行洗选加工。化工及动力用煤分选深度可根据煤质情况及综合效益论证确定，可以定为 13mm 或 6mm，也可以定为 0.5mm或 0。

5.1.5 选煤厂的原料煤矿井可能同时开采几个煤层，各煤层的可选性、基元灰分和净煤硫分可能相差较大，煤的种类也可能不同。此时，选煤厂宜将原料煤分别储存，分别分选，合理加工利用煤炭资源，以取得煤炭资源的最大回收率。

5.1.6 筛分、浮沉试验等资料是选煤厂设计的重要基础资料，其代表性影响到选煤方法是否正确、设备选型是否合理，甚至选煤厂投资效益的高低。在新矿区的前期设计中，业主常难以提供实际生产矿井的筛分浮沉资料，而用邻近煤田或其他资料代替。这时，设计使用的原始资料多少会与实际生产资料有误差。为了使设计完善、合理，应根据煤田地质报告、煤矿开采的各种条件因素，对代表性不足的资料进行调整。

目前广泛采用的调整筛分资料的方法是灰分系数法，此法适用于对试验过程中所产生的误差或几个煤样综合在一起时所产生误差的调整，而预测生产原煤灰分与所掌握煤样灰分差较大时，使用此法并不合适。

5.1.7 在《煤炭洗选工程设计规范》GB 50359—2005 之前，选择选煤方法的主要依据是入选原煤的可选性，通常对于易选煤采用跳汰选煤方法，对于难选煤采用重介选煤方法。随着选煤技术的进步，加之投资体制的改变，企业追求效益最大化，这种以入选原煤的可选性确定选煤方法的唯一准则已不适用，要求对选煤方法进行回收率与加工费用等综合技术经济比较后再确定选煤方法。

本条所指原煤性质是指原煤的粒度组成、密度组成、可选性、可浮性、硫分构成及其赋存特性、矸石岩性等。

5.1.8 目前重力选煤工艺产品计算基本采用正态分布近似计算法。由于煤质、操作、管理等条件的不同，近似计算法得出的结果与实际生产情况有一定的偏差。为了缩小计算误差，推荐在有条件的情况下采用实际分配率计算。本条中给出的 E_p 值和 I 值来源于生产实际和有关试验报告。

次生煤泥是入厂原煤在运输转载环节和洗选过程中造成再次破碎或泥化后所产生的新增－0.5mm 粒度级含量。次生煤泥量与入选原煤的变质程度、选煤方法、工艺环节等因素有关。变质程度浅的次生煤泥量大，变质程度深的次生煤泥量小。表 1 是《煤炭工业选煤厂设计规范》MT 5007—94 中给出的次生煤泥百分率，根据实际生产情况又增加了块煤重介选和末煤重介选的次生煤泥百分率，供参考。

表 1　次生煤泥占入选原煤百分率

选煤方法	煤类（入料方式）	原煤中＜0.5mm 级含量（%）			
		＞20	20～15	15～10	＜10
不分级跳汰选	肥、焦、瘦	10～12	8～10	7～8	5～7
	其他煤类	7～8	6～7	5～6	3～4
块煤重介选	—	2～4			
末煤重介选	无压入料	4～8			
	有压入料	5～10			

5.1.9　本条规定了工艺设备选型的主要原则。设备选型不能片面地强调技术先进、性能可靠，同时要兼顾经济性和实用性。从环保和节能角度考虑，要求选用低噪声和节能设备。

5.1.10　随着技术进步，选煤设备的可靠性已有大大提升，泵类设备除重要地点外，其他均可库存备用或不设备用。

5.1.11　本条规定了工艺布置的主要原则。

5.2　跳汰选煤

5.2.1　跳汰机的处理能力不仅与入选原煤的粒度级别有关，还与入选原煤的可选性、粒度组成、密度组成、煤泥含量、物理性质等因素有关，选型时要将这些因素考虑进去。入选原煤可选性差、细粒级含量高或重产物含量高时，跳汰机处理能力低；跳汰机仅用作排矸时，处理能力高。

动筛跳汰机作为大块煤的排矸设备，具有较大的处理能力和较好的分选效果。表2列举了国内部分选煤厂所使用的动筛跳汰机处理能力及分选效果。

表2 动筛跳汰机处理能力及分选效果

型号 / 厂名 / 项目	ROMJIG 10500808	ROMJIG 20500808	TD14/2.8	TD16/3.2	TD14/2.5	DTKJ-LX14/2.5
厂名	抚顺老虎台	兖州兴隆庄	抚顺龙风	义马跃进	北票冠山	阜新八道壕
分选物料	块原煤	块原煤	块原煤	块原煤	块原煤	块原煤
分选粒度范围(mm)	50～300	50～400	25～300	25～300	25～200	25～200
单位面积处理能力[$t/(m^2 \cdot h)$]	50	>70	30	50	58	28
精煤产率(r,%)	47.66	70.7	19.37	53.91	43.43	43.00
精煤灰分(A_d,%)	24.16	10.5	26.35	23.51	18.76	21.65
矸石产率(r,%)	52.34	29.3	79.63	6.09	56.57	47.00
矸石灰分(A_d,%)	77.44	80～81.5	73.41	84.54	89.02	79.97
分选密度(g/cm^3)	1.752	1.7	1.800	1.900	1.895	1.654
不完善度I	0.090	0.097	0.053	0.078	0.078	0.093
数量效率(η,%)	93.45	95.8～97.8	94.49	98.30	98.70	95.98

5.2.2 跳汰机前设缓冲仓是为了保证跳汰机入料的均匀性。若设计采用其他措施能保证这一要求，可以不设。一般选煤厂洗选车间前都设有原煤储存设施，所以缓冲仓有10min的跳汰机处理量，就可以保证跳汰机的给料均匀性。

动筛跳汰机给料一般为大于50mm块煤，设置缓冲仓易产生块煤的二次破碎，应尽量避免。

5.2.3 跳汰机循环用水量是实际生产情况的总结，比较符合实际生产指标。

动筛跳汰机的耗水量只是产品带走的水量和定期排放筛下物时所带走的水量。各选煤厂使用动筛跳汰机的实际循环水耗量一般不大于20m³/(m²·h)。如果同时要在动筛跳汰机中利用溢流清除杂物，循环水耗量还应考虑除杂用水量。

5.3 重介质选煤

5.3.1 斜(立)轮重介分选机、刮板(又称浅槽)重介质分选机适用于块煤精选或排矸。刮板重介质分选机近来使用较多，积累了丰富的实践经验，已逐渐取代斜(立)轮重介分选机，成为块煤分选的首选设备。

根据国产斜轮重介质分选机LZX系列8种规格的生产情况，其单台处理能力折算成单位槽宽后为78t/(m·h)～110t/(m·h)；立轮重介质分选机LZL系列有3种规格型号、TJL系列有10种规格型号，其处理能力折算成单位槽宽处理能力为70t/(m·h)～113t/(m·h)；依据安太堡、安家岭和孙家沟等选煤厂引进美国公司生产的刮板重介质分选机单台处理能力折算成单位槽宽后，为77t/(m·h)～107t/(m·h)。所以本规范规定斜(立)轮与刮板重介质分选机单位槽宽处理能力为70t/(m·h)～100t/(m·h)。

斜轮重介分选机的悬浮液循环量每米槽宽约80m³/h，折合每吨入料为0.7m³/h～1.0m³/h；立轮重介质分选机所需悬浮液循环量比斜轮重介质分选机大些，每米槽宽约100m³/h，折合每吨入料为 0.9m^3/h～1.2m^3/h。

依据生产使用情况，刮板重介分选机的轻产物都是由悬浮液直接冲出，故其悬浮液循环量比斜轮和立轮重介分选机大，每米槽宽为 175m^3/h～200m^3/h，折合入料为 2m^3/(t·h)～2.7m^3/(t·h)。

5.3.2 重介质旋流器按给料方式可分为两种形式：有压给料和无压给料。无论有压给料还是无压给料，都有二产品和三产品之分，且每种形式的重介旋流器都有系列产品。有压给料二产品重介旋流器的悬浮液和原煤均匀混合，利用泵或定压漏斗的压力压入旋流器的筒体；无压重介质旋流器的原煤自流进入(靠中心空气柱吸入)旋流器的筒体，悬浮液是用泵压入筒体下端悬浮液入料口。而三产品旋流器是在二产品重介质旋流器的底流串联二段旋流器。本规范根据入料性质和分选条件的差异，仅分成原煤重介旋流器和煤泥重介旋流器两类，故指标范围较大。使用者应根据具体情况选用。

重介旋流器的给料压力或悬浮液给料压力与旋流器筒体直径有关。有压旋流器和无压旋流器的入料压力有差别，后者压力反而要高于前者。传统的 DSM 旋流器入料压力，选煤时一般为 $9D$～$11D$，选矿时一般为 $12D$～$15D$，说明入选物料的粒度组成越细，旋流器的入料压力就越高。因此，煤泥重介旋流器需要的入料压力就更高。为了保证细粒煤得到同样有效的分选，重介旋流器直径越大，入料压力就越高。有资料介绍，为了保证 2mm～0.5mm细粒煤得到有效分选，ϕ700mm 无压旋流器的介质入料压力为 0.10MPa，而 ϕ1300mm 无压旋流器的介质入料压力则应达到 0.25MPa。

各规格型号的重介质旋流器处理能力也与筒体直径有关，折算成单位时间、单位筒体横截面的处理能力有很强的规律性。生产实践也证明，1 台 ϕ1000mm 重介旋流器的处理能力和 2 台 ϕ700mm 重介旋流器的处理能力相当。其实质就是二者筒体横截面基本相等，单位时间、单位筒体横截面的处理能力相同。因此将“单位时间、单位筒体横截面的处理能力”作为旋流器的选型指标，方便实用。

介质循环量与入料煤量、旋流器结构和分选要求等因素有关。三产品旋流器的介质循环量要大于二产品旋流器，其二段才能有效工作。当生产低灰精煤，且要求分选精度较高时，宜采用较大的介质循环量。

近年来，大直径重介旋流器的使用大大简化了工艺系统，但也暴露了一些缺陷，如入料压力高、功耗高、有效分选下限高、磨损严重等。使用者应根据具体情况选用。

煤泥重介旋流器作为大直径重介旋流器的补充，可以部分弥补大直径重介旋流器分选下限偏高的不足。但目前煤泥重介旋流器实际生产数据较少，使用效果也相差较大。本规范中采用的是科研单位提供的数据。

5.3.3 重介悬浮液密度的自动调节是重介分选系统高精度、高效率运行的有力保证。重介密度自动调节技术与装置已经成熟并广泛采用。

5.3.4 块煤重介分选的重产物均为刮板刮出或经提升轮排出的产物，所带循环介质已很少，无须进行预脱介，可直接进脱介筛。

重介质选煤厂脱介筛单位面积处理能力与脱介筛喷水量、喷水压力有关，也与重介分选前是否脱泥有关。分选前脱泥，脱介筛单位处理能力大，所需喷水量小；反之，分选前不脱泥，脱介筛单位面积处理能力小，所需喷水量大。另外，不脱泥分选的稀介质净化回收系统中，由于煤泥量多，磁选机选型时宜考虑增加相应的负荷。表3是实际使用的脱介筛处理能力统计。

重介选煤厂脱介筛的面积及台数不仅影响介耗指标，而且影响厂房布置和体积。在保证脱介效果的前提下，加大脱介筛筛孔，有效利用和加大弧形筛，缩短筛子的合格介质段、延长稀介段，强化喷水效果等都是减小脱介筛面积、减少筛子台数的有效措施。

有些动力煤选煤厂为减少筛分环节，选用双层脱介筛一次达到即脱介又分级的目的，但双层筛脱介下层物料喷水效果不好，脱介效果较差；若增加下层筛喷水，又增加了循环水处理的压力，不建议采用此种方式。

近年的实践经验表明，采用弧形筛＋直线振动筛，可提高脱介效果。

表3 脱介筛处理能力统计

设　　备	直线筛	香蕉筛	直线筛	香蕉筛	直线筛	香蕉筛
筛面尺寸（m）	3.0×4.8	3.6×6.1	2.4×6.0	3.6×6.1	3.6×3.6	1.2×6.1
筛面面积（m^2）	14.40	21.96	14.40	21.96	12.96	7.32
筛孔尺寸（mm）	0.50	0.50	0.50	1.50	1.0	0.50
单位面积处理量［t/(m^2·h)］	6.25～7.2	4.40～7.29	5.12～6.72	22.76	8.4～10.8	5.46
单位宽度处理量［t/(m·h)］	30.00～34.56	26.67～44.44	30.94～40.35	138.89	30.6～39	33.00
入料性质	选前脱泥	选前不脱泥	选前脱泥	选前脱泥	选前不脱泥	选前脱泥
使用单位	安家岭	西曲	伯方	金海洋	山西	国外

5.3.5 国内重介质选煤厂资料表明，凡是介质消耗指标居高不下的，磁选尾矿中的介质损失占全部技术损失的百分比就较大。造成磁选尾矿介质损耗大的原因，大多是磁选机的磁选效率低。为了降低介质损耗，应提高磁选机的磁选效率，所以本规范规定磁性物回收率不应低于99.8%。

5.3.6 重介质选煤厂目前都用磁铁矿粉作悬浮液加重剂，磁铁矿粉越细，悬浮液的稳定性越好。当采用磁性物含量95%以上、密度在4.5kg/cm³以上的加重质时，不但调制重介质需用加重质相对少些，且介质回收率也相对较高，介耗较少。如田庄选煤厂在20世纪90年代中期，因磁铁矿粉磁性物含量在70%左右、密度4.0kg/cm³，吨煤介耗达5.0kg/t；当采用磁性物含量95%以上、密度大于4.5kg/cm³的加重质后，吨煤介耗降至2.5kg/t。又如，辛置选煤厂二车间采用磁铁矿粉含量99%、密度4.8kg/cm³、−325目含量90%的加重质时，吨煤介耗1.5kg/t；当采用磁性物含量89%，密度4.3kg/cm³的磁铁矿粉作加重质时，吨煤介耗3kg/t。所以磁铁矿粉中的磁性物含量、密度及粒度直接影响选煤厂吨煤介耗。当外购的磁铁矿粉不能满足要求时，应采取磨矿措施和(或)磁选措施，使其达到要求。

5.3.7 设置介质储存库是为了保证生产的需要，同时也为了减少磁铁矿粉的非技术损失。一般情况下，0.5个～1个月的储量就可满足选煤厂生产要求，对运输不便地区，应适当加大储存量。对寒冷地区，因冻结期一般为4个～5个月，所以介质储存库的储存容量为4个～5个月的介质耗量比较合理。

5.3.8 块煤重介质选煤系统的介耗，据安家岭、田庄选煤厂等厂统计约0.5kg/t。末煤重介选煤系统的介耗，据安太堡、安家岭、林西、赵各庄、辛置选煤厂等厂统计的入选吨煤介耗最高1.8kg，最低1.3kg。考虑到选煤厂介耗与很多因素有关，且各厂使用的磁铁矿粉也不相同，本规范规定了块煤小于0.8kg/t、末煤小于2.0kg/t的介耗指标。分选过程中的介质消耗属耗能过程，从节能角度应给予重视，因此将本条作为强制性条文。

5.4 浮　　选

5.4.1 浮选设备的处理能力与入浮物料的表面性质、入料浓度、粒度组成、细粒级含量等因素有关，建议在设备选型前，对入浮原煤进行“选煤实验室单元浮选试验”，根据试验结果确定浮选时间及其他参数。

浮选机和浮选柱的处理能力是实际生产数据的统计结果。实际应用时,易浮煤泥可选用单槽浮选机;可浮性好的细煤泥可选用浮选柱;其他可选用机械搅拌式或喷射式浮选机。

单槽浮选机为KHD洪堡威达克有限责任公司开发的普浮乐充气式浮选机及在此基础上开发的其他类似原理浮选机。单槽浮选机的选型可按浮选柱选型参数选取。由于浮选时间短,当入浮煤泥可浮性差时,不宜选用单槽式浮选机。

5.4.2 为了保证浮选机工作时不断均匀地给药、减少油脂库输送药剂的次数以及节省冬季输送药剂时加热次数,减少热耗,车间内应设置浮选药剂箱。通过现场调查,药剂箱的容量为0.5d～1.0d的药剂消耗量能够满足现场要求。按照现行煤炭行业有关防火规范,厂房内浮选药剂桶容积应小于或等于1.0m^3的规定是从防火角度出发所做的单桶最大容积限制,当单桶最大容积超过此限制值时,应采取相应防火措施。

5.4.3 为了保证选煤厂不因浮选药剂供应间断而影响生产,设有浮选工艺的选煤厂都应设浮选药剂站。根据有关选煤厂统计资料,一般药剂站的药剂池或药剂罐储存量为选煤厂15d的药剂消耗量。对大型选煤厂,浮选药剂一般用标准轨距油罐车辆运送,此时浮选药剂罐的储存量应大于2个油罐车辆的容量。

5.4.4 浮选机前设矿浆准备器、矿浆预处理器、搅拌桶、表面改质机等调浆设施或设备,是为了使浮选药剂与矿浆预先充分接触,促进矿化作用,改善矿物表面性质,提高浮选效果,进而提高了资源回收率。提高资源回收率实际上也起到了节能作用,即能源及资源投入不变,而产品量增加。因此将本条作为强制性条文。

5.4.5 根据煤类的可浮性不同,所用浮选药剂的种类不同,浮选药剂用量也不同。目前国内各选煤厂应用的浮选药剂大致有三类:起泡剂、捕收剂及兼有起泡剂和捕收剂性能的复合药剂。根据选煤资料统计,浮选药剂耗量一般在1.3kg/t～1.5kg/t,起泡剂、捕收剂用量比为1∶8～1∶10。

5.5 其他选煤方法

5.5.1 根据螺旋分选机的实际生产资料统计，煤用螺旋分选机的直径1m左右，入料粒度3mm～0，最佳分选粒度1mm～0.25mm，入料浓度30%～40%，单头处理能力3t/h左右。螺旋分选机的分选精度与给料速度、螺旋圈数等因素有关，易选煤一般每头需要4圈，难选煤则每头需要7圈。

据南桐选煤厂和观音堂选煤厂采用摇床分选煤泥、粉煤的生产资料统计，在入料浓度40%，折合液固比1∶2.5～1∶5时，分选煤泥的处理能力为0.24t/(m^2·h)～0.4t/(m^2·h)，处理粉煤的能力为0.45t/(m^2·h)～0.87t/(m^2·h)。

干法分选机有复合式干选机和空气重介分选机两种。空气重介分选机尚处于工业性试验阶段，本规范没有纳入。复合式干选机有FGX系列和FX系列，该类型分选机适用于动力煤分选，尤其适用于变质程度浅、易泥化的褐煤、长焰煤、不粘煤等煤类和严寒、干旱地区。

滚筒分选机适用于分选煤矿中的脏杂煤，入料粒度－200mm，有效分选粒度大于6mm，而－6mm的煤只在分选机中起分选介质的作用。目前该类型分选机只有LZT1800和LZT1600两种型号，由于使用不多，故未给出处理能力指标。

5.5.2 干扰床分选机(teetered bed separator，简称TBS)近年在选煤厂得以广泛采用，其分选粒度范围在3mm～0.15mm，最适合的分选粒度范围为1.0mm～0.25mm，分选密度范围在1.4g/cm^2～1.9g/cm^2。

6 脱水、防冻与干燥

6.1 脱 水

6.1.1 脱水筛包括高频筛、水平直线振动筛、曲面直线振动筛（即香蕉筛）等。

6.1.2 为满足用户对产品水分的要求和减少产品水分对铁路、公路运输的影响，选后末精煤、末中煤产品应设离心机脱水。

离心机处理量和产品水分应根据入料中含细粒煤量的大小来确定。细粒级煤含量大时，处理量取小值，产品水分取大值。一般末中煤的水分比末精煤的水分高。

近几年，选煤厂末煤脱水选用卧式振动离心机较多。卧式振动离心机处理能力大，入料上限高，但产品水分略高于立式螺旋刮刀离心机。

6.1.4 煤泥脱水设备的处理能力和产品水分受入料性质的影响较大，本规范建议，在设备选型前先做试验，按试验数据选型。

沉降式离心机、沉降过滤式离心机的处理能力及产品水分与制造厂家出厂时的铭牌标定指标有差距。这主要是受入料中细泥含量的影响所致。细泥（小于 0.045mm 的量）含量高，水分会明显增高，处理量大幅度降低。

对隔膜压滤机的实验表明，随着入料浓度的增大，滤饼水分降低；随着入料细度的增加，滤饼水分增大；随着压榨压力的增大，滤饼水分降低；而压力对滤饼水分的影响最显著。

加压过滤机的处理能力与入料粒度组成、入料浓度、处理物料表面特性、压滤机工作压力等因素有关。入料粒度组成过细，处理能力大大降低。以成庄选煤厂为例，当处理细粒煤泥时，处理能力仅为 $0.20t/(m^2 \cdot h)$；当处理未脱除粗煤泥的物料时，处理能力为 0.40t/(m^2·h)。因此尽量先做试验后选型,以避免造成不必要的损失。

6.2 防冻与干燥

6.2.1 在严寒地区的远距离运输中,由于精煤的外在水分过高,室外温度低,产品容易冻结,所以需要对精煤进行干燥或防冻。如从我国河北省发往辽宁某焦化厂的列车,如果运行时间为 18h,冻结厚度可达 200mm～350mm,给卸车带来了困难。有时出口煤和某些用户对精煤外在水分有严格要求,采用常规手段无法满足需要,故需常年对精煤产品进行干燥。

6.2.3 为了安全生产,改善职工的劳动条件,减轻工人的劳动强度,干燥车间的生产工艺、热工控制系统应实现集中控制和自动化。

6.2.4 热炉烟气的排放标准应执行相关国家标准的规定。

6.2.5 干燥后的精煤产品外在水分基本上小于 8%,容易起尘。为满足环境保护和防火要求,应设置相应的密闭罩和排风除尘措施。本条为强制性条文,必须严格执行。

6.2.6 根据干燥设备使用的载热体,依据现行煤炭行业有关防火规范和《煤矿安全规程》、现行行业标准《选煤厂安全规程》AQ 1010的规定,干燥车间所处理物料为粒度较细的末煤或煤泥,干燥后产品水分较低,易产生煤尘,在高温环境下有爆炸危险,必须采取防火、防爆等安全措施。鉴于此,将本条作为强制性条文。

6.2.7 在我国使用的煤用干燥设备类型有滚筒式干燥机、沸腾床式干燥机、螺旋干燥机、管式干燥机、洒落式干燥机、煤泥碎干机等。其中使用最普遍的是滚筒式干燥机。

沸腾床式干燥机和螺旋干燥机都是 20 世纪 80—90 年代从国外引进的干燥设备。沸腾床式干燥机热效率较高,但对处理物料的粒度有要求。螺旋干燥机的热效率较低。这两种干燥设备在我国都没有整机成套生产。管式干燥机安全性能较差,已不再使用。洒落式干燥机处理量小，也已不再使用。

煤泥碎干机是近年在我国使用的煤泥滤饼碎干设备，其特点是可将压滤后的煤泥滤饼进行干燥破碎，使其可掺入产品中，可解决压滤煤泥滤饼难以处理的问题。煤泥碎干机目前还存在单机处理能力小的缺点。

6.2.8 严寒地区室外输送液体的管网容易冻裂，一般应采用隔热及保温措施。常见的是仅仅采用通用隔热保温结构对管道进行防冻处理，但也有采用缠绕电热丝加外包隔热保温结构对管道进行防冻的，后者效果较好。

7 煤泥水处理

7.1 煤泥水的输送和粗煤泥的水力分级

7.1.1 选煤厂的煤泥水输送方式一般有压力管道(含静压自流全充满管道)输送、无压自流管(渠)输送。煤泥水输送应充分利用地形因素,尽量采用自流输送方式。这样,可以减少提升设施及相应土建工程量,节约能源,节省投资。选择自流输送方式时,规定煤泥水流速应大于临界流速;否则,容易出现煤泥沉淀现象。

无稳定流量是指流量不稳定,时断时续。规定其自流管渠的坡度应大于15‰,目的是防止其在较小流量时发生沉淀现象,并避免因沉淀累积而导致堵塞现象的发生。

7.1.2 各种水泵的吸水方式均应采用压入式。因压入式泵的起动比吸上式的迅捷,无须泵及进水管的充水时间和充水措施。

各种水泵均应有独立的吸水管,以保证泵的安全可靠运行。若某一泵吸水管进行检修时,不会影响到其他泵的正常工作。

底流泵和其他煤泥水泵出水管上,一般不设置止回阀;循环水泵、澄清水泵出水管上,一般设置止回阀。

7.1.3 循环水池、澄清水池的容量,有条件时宜有所富余。循环水池或澄清水池布置应结合浓缩池、煤泥沉淀池的布置情况统一考虑,使停车后系统管道内的水及循环水池溢流水可返回浓缩机。

7.1.4 对自动化程度要求高的选煤厂,其重介系统中涉及工艺参数(如主、再选重介质密度、液位等)及浮选系统中涉及工艺参数(如浮选矿浆的流量、密度、干煤泥量、药剂添加量等)的自动检测和控制的阀门,应纳入到全厂集中控制系统中。因此阀门应全部采用电动或电控气动(液动)。

对一般选煤厂,启闭频繁、安装位置较高或操作不便、公称直径大于或等于250mm的阀门，宜采用电动或电控气动(液动)，可减轻操作工的劳动强度。

对某些公称直径小于250mm，安装位置较高、操作不便的阀门，在需要时，也可采用电动或电控气动(液动)。

7.1.5 水力分级旋流器的分级粒度与入料粒度、浓度、排料口直径等有关，所以在入料压力和处理能力一定的情况下，分级粒度是有差异的。

7.1.6 选煤厂生产废水主要指生产过程中的跑、冒、滴、漏水，应处理回收利用，以达到节约用水和保护环境的目的。对于室内冲洗排水，只有在未设置独立的冲洗排水处理设施时，才需进入洗选系统的煤泥水系统进行处理。

7.1.7 室内冲洗排水应首选进入洗选系统的煤泥水处理系统。对独立的煤炭集运站、储配煤中心，因无可利用的废水处理设施，冲洗排水只能自建废水处理设施进行处理。处理方式可采用筛子、浓缩池、沉淀塔或平流沉淀池。

7.1.8 露天储煤场周围的雨水会带有煤泥，外排会造成环境污染，因此要求进行沉淀处理。由于混有煤泥的雨水处置起来有一定困难，故不推荐建设露天储煤场，特别是大中型露天储煤场。

7.2 细煤泥的沉淀与浓缩

7.2.1 目前使用最有效的细煤泥沉淀与浓缩设备是煤泥浓缩机，包括各种高效浓缩机、深锥浓缩机和沉淀塔。煤泥沉淀池作为一种细煤泥沉淀处理设施，在某些场合也可以有条件地使用。

7.2.2 在沉淀与浓缩之前设置混合反应设施的目的，是使药剂和煤泥颗粒充分接触，增强药剂与颗粒的作用效果，从而提高煤泥颗粒的沉降效果。

对中等可沉降、难沉降的细煤泥，应设混合反应设施；对易沉降细煤泥，宜设混合反应设施。煤泥水的“易沉降”、“中等可沉降”和“难沉降”概念出自现行行业标准《选煤厂　煤泥水沉降特性分类》MT/T 1154。

混合反应设施中的平均速度梯度与混合时间(GT 值)可根据试验或相似生产数据选取。一般而言,浮选尾煤的 GT 值取大值,原生煤泥的 GT 值取小值。

7.2.4 安徽省淮南矿区新集矿选煤厂使用 2 台 ϕ30m 德国进口普通型(无斜管、斜板)工作浓缩机处理原生煤泥水,入料浓度为 40g/L,单台浓缩机处理的煤泥水量为 1600m^3/h,絮凝剂投加量为 3g/m^3,其表面水力负荷率为 2.26m^3/(m^2 · h),溢流浓度为 5g/L,煤泥去除率为 87.5%。

根据新集选煤厂及其他一些处理原生煤泥水的选煤厂的浓缩处理数据,本次修订将"处理原生煤泥水的普通型(即非斜管、斜板型)浓缩机的表面水力负荷率"由原规范的"2.5m^3/(m^2 · h)~3.5m^3/(m^2 · h)"下调至"2.0m^3/(m^2 · h)~3.0m^3/(m^2 · h)"。

7.2.5 根据现行国家标准《选煤术语》GB/T 7186 的有关规定,将表 7.2.5 中的"截留粒度"一词改为"分级粒度"。限定"普通型浓缩机的浓缩面积指标表"仅适用于"中等可沉降细煤泥"。对"易沉降细煤泥"和"难沉降细煤泥",进行指标修正。

7.2.7 浓缩机入料前设置缓冲设施的目的是使入料平稳,能够得到更好的沉淀效果。

7.2.8 本条规定的目的是更利于沉淀效果的提高。

7.2.9 本条规定的目的是保证浓缩池溢流的正常和均匀。

7.2.10 浓缩机或沉淀塔中存在煤泥滞留池体内或塔体内的情况。特别是斜管浓缩机中很容易出现煤泥滞留斜管的现象,有必要设置冲洗水管进行定期冲洗,以保证浓缩设备能够正常工作。

规定冲洗水引自循环水或澄清水,是由于冲洗水对水质的要求不高,使用循环水或澄清水完全可以满足要求。使用经过处理的、满足生活饮用水或生产清水水质要求的水作为冲洗水,不但不经济,而且会影响到选煤厂的洗水闭路循环。

7.3 事故煤泥水处理

7.3.1 尽管选煤厂工作浓缩机发生故障的概率不大，但仍有必要设置事故煤泥水处置措施，以应对有可能发生的事故或故障，保证煤泥厂内回收，不向环境排放，进而不污染环境。

7.3.2 事故煤泥水处理设施推荐选用事故浓缩机，因事故浓缩机可和工作浓缩机统一布置，可节省占地面积，便于管理。

考虑到事故煤泥水池在接纳选煤厂内最大一台设备的事故放水前，可能已接纳了其他设备的事故放水，因此应在池容中适当留有余地；故其有效容积应按厂内最大一台设备有效容积的1.2倍～1.5倍考虑。

无论是事故浓缩机还是事故煤泥水池，都应设置煤泥水返回管路。当事故处理完毕、正常生产恢复后，应能及时将事故煤泥水全部返回到生产系统再处理，以避免煤泥水对环境的污染。

8 产品储存与装车

8.0.1 选后产品的储存除采用煤仓(方仓和圆仓)外,还有封闭式储煤场。对大型选煤厂而言,如果选后产品都建跨线式煤仓或落地式煤仓,投资费用会增高。因此可单独建煤仓、封闭式储煤场,或煤仓与封闭式储煤场组合,这与近年来的生产实践是相吻合的。

8.0.2 洗选后产品仓也包括矸石仓。洗选后的产品水分较高,在仓内储存一段时间后,易在煤仓底部积水,影响装车,有必要设置脱水装置。寒冷地区,积水容易在仓内冻结,同样影响装车,应采取相应保温或防冻措施。

8.0.3 以准轨铁路外运煤炭时,每列车装车时间规定一般不超过2.0h。

8.0.4 原煤仓及末煤产品仓由于粒度、水分及煤本身特性,在煤仓中易黏结起拱发生煤仓堵塞,减小煤仓有效容量并影响正常生产,因此应采取防堵塞或破拱措施;对于块煤仓,尤其是采用大直径筒仓的块煤仓,在块煤入仓的跌落过程中,会产生块煤被摔碎的情况,因此应采取防碎措施。

8.0.5 选煤厂矸石仓的有效容量定为不宜小于8.0h的矸石量,无论采取何种排矸方式均不会影响选煤厂正常生产。

8.0.6 近几年生产实践中,我国大型、特大型选煤厂已有不少采用快速定量漏斗装车设施,使用效果良好。

9 矸石与煤泥综合利用

9.0.1 根据国家有关资源综合利用政策，选煤厂矸石应进行综合利用，利用方向在现行国家标准《煤矸石利用技术导则》GB/T 29163中有明确的规定。

9.0.2 排弃矸石时应考虑破碎夯实、喷洒石灰水、覆盖黄土、防止自燃等处理措施，减少对环境的污染。

9.0.3 矸石周转场容量按选煤厂与矿井矸石产量之和计算。当矿井首采块段塌陷区形成或矸石综合利用项目投产后，矸石充填塌陷区或综合利用，矸石周转场即应取消。

10 计量与煤质检查

10.0.1 主要计量内容:原煤和产品计量;消耗的能源计量,如生产、生活清水,蒸汽、热水,介质,药剂和用电量、用煤量、用油量等;生产过程控制参数计量,如矿浆浓度、流量,重介悬浮液密度、流量,必要的仓、池、桶料位等。

10.0.7 为了减轻笨重的体力劳动和提高精度,选煤厂的计量、采样、制样应尽量实现机械化、部分自动化。设置在线仪器的目的是为了及时指导生产。原煤和产品的灰分、水分、硫分等质量检测是选煤厂稳定可靠运行的保障。

11　机电设备修理

11.0.2、11.0.3　本规范表11.0.2和表11.0.3选自《煤炭工业选煤厂设计规范》MT 5007—94，且分别取消了选煤厂机电设备日常维修所需的主要设备及其规格。因为此类设备的种类、技术规格较多，并不断有新产品出现，不应硬性指定，应按照业主的要求、市场的供求形势和设备性能确定。

12 工业场地总平面

12.0.1 本条要求在选煤厂总平面设计时应有相应阶段的现场设计资料，并对各设计阶段所需要的地形图比例做了规定。

12.0.2 本条系新增内容，主要强调厂址选择时要严格按照国家法律、法规、产业政策及建设前期工作的有关规定进行，并对厂址选择的有关建厂条件及要注意的问题做了相应的规定。

12.0.3 本条规定了选煤厂工业场地防洪标准、竖向布置、场内运输等设计所使用的标准。

12.0.4～12.0.13 这几条规定了选煤厂工业场地平面布置的一般原则。

12.0.14 汽车配备的数量宜根据生产、生活需要，由业主自行确定。

12.0.15～12.0.18 这几条规定了选煤厂工业场地景观、通道和围墙设计的一般原则。

12.0.19 本条对选煤厂工业场地建设用地指标重新作了修订，直接引用了《煤炭工业工程项目建设用地指标》（建标〔2008〕233号）的规定，该文件经建设部和国家土地管理局批准，2009年5月1日开始执行，基本可以控制选煤厂建设用地面积。

12.0.20 选煤厂道路的宽度、等级、路面结构类型的选用，可按照现行国家标准《厂矿道路设计规范》GBJ 22的相关规定执行。

12.0.21 厂内窄轨铁路近年已很少采用，设计可按现行国家标准《煤炭工业矿井设计规范》GB 50215的相关规定执行。

13 地面运输

13.1 一般规定

13.1.1～13.1.6 这几条规定了选煤厂内、外运输设计的一般原则。强调厂内、外运输应包括运输设备、运输线路及贮存场地要统一规划。要协调好多种运输方式组合之间的衔接，保证物料运输顺畅。在道路运输时要合理设置与运输车辆相匹配的汽车衡。铁路及运输繁忙的道路选线不得穿越与运输作业无关的工业场地、居住区或企业主要人流出入口，避免对作业无关的场地干扰及对聚集人流的生命威胁。对各种运输线路交叉时要符合现行国家有关标准要求。运输系统的管理和生活用房要统一集中，合并建设。

13.2 运输方式选择

13.2.1～13.2.8 根据选煤厂对外运输规模，所在地区的交通条件，合理选用铁路、道路、水路、带式输送机、架空索道等运输方式。并强调了不同运输方式所适宜的条件和运输方式选择要进行多方案技术经济比较。

13.3 铁路运输

13.3.1 选煤厂标准轨距铁路专用线设计应依照现行国家标准《工业企业标准轨距铁路设计规范》GBJ 12，结合铁路技术政策，路网规划，做出技术经济合理、可行的设计。随着铁路技术的发展、车速的提高，铁路部门对于其接轨的铁路专用线标准也在逐渐提高。《关于进一步做好铁路专用线接轨有关工作的意见》[铁运函(2007)714 号]提出，“铁路专用线尽量集中在战略装车点接轨,不准在拟封闭车站或其他不办理货运的车站接轨”。

准轨铁路应设计在无煤地带或安全煤柱范围内,困难时,应避开初期开采范围,如必须布置在将要开采范围或尚未稳定的采空区上时,线路走向应垂直煤层走向,并结合采煤方法,分析和预测下沉情况。对路基、桥涵等设计应参照类似矿区经验,采取便于修复和有安全措施的形式,以保证铁路的正常运输。

铁路建设需占用大量土地,我国人口多耕地少,选线设计和站场布置要节约用地,充分利用荒坡瘠地,少占良田,并结合工程造地复田。还应处理因铁路建设而改变原来的自然地形、地貌带来的防洪、排灌、城乡交通等诸多问题。

13.3.2 装、卸车站依选煤工艺设计的装、卸设施为站中,结合工业场地、地面生产系统,地形、地物,铁路引线等作站场股道设计,使其技术经济合理,如不符合要求,则应重新调整装卸设施的位置和布局。所以装卸站位置的合理确定,主要是优化、选择装卸设施的位置。

13.3.3 装卸车站的站型有横列式、半纵列式、纵列式、快速装车环线等。站型选择的因素很多,运量、运输组织要求,地形、地物、地质条件都可能是站型选择的决定因素,地形地理条件尤为突出。半纵列、纵列式只适用于平原地区;环线占地面积大,不适宜在农田地区。建一个牵引质量 5000t,编挂 63 辆车的装车站,整列到发、整列装车的站坪将近 2000m;整列到发、半列装车也要 1000 多米,在山地丘陵地区,大量土石方施工工程制约了站坪的设计;设计按机车可通过装车线(装车线兼到发线),以渡线、交叉渡线分割线路,两端铁牛辅助调车,可达到整列到发、半列装车的效果,并可减少站坪长度,节省土石方工程。日运输量大或铁路对装车时间有特殊要求的新建铁路专用线,可建快速装车站站型。

13.3.4 汽车集运型铁路专用线,其接轨间距原则上不少于 50km。根据铁道部要求,在规范中提出“路企直通”运输设计原则,大型选煤厂宜建快速装车站站型;分散装车点集中建快速装车站。在铁路自营的矿区则应根据本矿区铁路设施,运营要求的特点进行与其相适应、配套的设计。

13.3.5 新建铁路专用线原则上不设路企交接场(站),以减少中间作业环节,加速车辆周转,提高运输效率。

13.3.6 设计装、卸车站的取送车作业可根据实际情况选择如下:

(1)当运量较大、条件许可时,宜采取送空取重作业。

(2)当装车站距集配站或路网铁路车站较近,在装车时间内机车返回尚可进行其他作业,同时不影响通过能力,也不增加机车台数时,宜采用单送单取。

(3)当距离较远,装车时间小于单机往返走行时间且运量较小时,宜采取等装,若使用路网铁路机车取送车时,应取得所属铁路管理单位的同意。

13.3.7 由于各选煤厂的运量大小、列车对数多少等情况不同,需要每列车装车时间应等于或小于接轨站或矿区集配站排空车的间隔时间,才能保证均衡运输和选煤厂的连续生产。所以装车线数量的确定,应根据列车对数、每列车辆数、装车时间、产品煤品种等,结合地形条件、工业场地总平面布置,接轨车站条件,经综合技术经济比较确定。小型选煤厂一般设一股装车线,大型选煤厂根据装车次数、装车时间、产品品种,结合工艺布置,设一股或多股装车线。卸煤线一般设一股,如外来煤种多厂型大时,设两股或多股。

13.3.8 由于电子轨道衡允许机车通过衡器,为在装车线上直接到发创造了条件。因此在地形条件复杂,设置到发线有限制时,可选用能通过机车的电子轨道衡,达到装车线上直接到发车的目的。

13.3.10 过去对装、卸车站办理职工通勤和旅客列车考虑甚少,致使矿区铁路形成运营后,旅客上、下车横穿车站,影响车站作业和旅客安全,运营后增加客运设施又困难重重,故根据矿区总体规划需要办理客运时,在装、卸车站应设置为旅客乘降的旅客线、站台、候车室及为保证通勤职工和旅客集散设置方便与安全的通道，必要时应设置人行地道和栈桥。

13.3.11 装、卸车站牵出线的调车作业多为成组列车转线，作业简单。当正线的平、纵断面符合调车作业要求、瞭望条件好、不影响区间通过能力时，不单独设置牵出线，利用正线进行调车作业。当正线平、纵断面无条件时，单独设置牵出线。

13.3.13 铁路信号、通信、电力设计除应执行现行国家标准外，还应按照现行行业标准《铁路信号设计规范》TB 10007、《铁路通信设计规范》TB 10006、《铁路电力设计规范》TB 10008 和《铁路电力牵引供电设计规范》TB 10009 执行。

13.4 道路运输

13.4.1～13.4.4 这几条为新增内容。选煤厂厂外道路是城镇道路网和地区道路网的组成部分，因此应符合城乡规划或所在地区道路网的规划，注意节约用地，充分发挥城市或地区现有道路的运输能力。道路设计及桥涵设计时应符合现行国家有关公路设计标准的规定。

13.5 其他运输

13.5.1、13.5.2 这两条为新增内容。厂外输送管道、水路运输及窄轨铁路运输因实际应用不多，本规范不再详细规定，可按相关专业标准进行设计。

14 电　　气

14.1 供　　电

14.1.1 现行国家标准《供配电系统设计规范》GB 50052 对负荷分级及供电要求做了明确的规定，根据选煤厂生产过程的特点，对停电会造成较大经济损失、停电后会影响设备正常工作的电力负荷定为二级负荷，如铁路装车系统会影响铁路系统正常运行，和矿井或铁路运输相关的原煤系统会影响矿井正常生产或铁路系统正常运行，在供暖地区供暖季节锅炉房停电会影响生活、生产供暖，浓缩机会造成压耙事故，集控室控制电源会影响整个系统正常运行等。工程设计时，如建设方对供电有更高的要求，应满足建设方要求。由于涉及供电安全，本条为强制性条文。

14.1.2 本条规定选煤厂供电电源宜采用 10kV 或 6kV。但新建选煤厂应采用 10kV 供电，如 10kV 供电确有困难的，才可采用 6kV 供电。

选煤厂供电电源采用两回及以上供电回路，确保重要负荷用电。两回及以上供电回路宜采用同级电压，但根据地区供电条件，亦可采用不同电压。

双电源供电确实有困难且负荷较小的中心、群矿选煤厂可由一回专用架空线供电。这点主要考虑电缆线路发生故障后检查故障点和修复需时较长，而一般架空线路修复方便(此点和电缆的故障率无关)。

要求电源线路一回故障时其余回路能负担全部负荷的理由是：

(1)电源故障影响整个选煤厂生产运行；

(2)供电电源涉及上级供电部门，不属于选煤厂行政管理范围,沟通联系烦琐,故障排除耗时较长。

14.1.5 选煤厂大量用电设备是异步电动机、电力变压器、照明等,前两项用电设备在电网中的滞后无功功率较大,因此在设计中正确选用电动机、变压器等容量,可以提高负荷率,对提高自然功率因数具有重要意义。当自然功率因数不能达到要求时,应采用人工补偿无功功率。

并联电容器单独就地补偿可以最大限度地减少线损和释放系统容量,在某些情况下还可以缩小馈电线路的截面积,减少有色金属消耗,但初次投资及维护费用增加,对环境要求高,而选煤厂车间环境恶劣,因此选煤厂宜在配、变电所内进行集中补偿。

14.1.7 选煤厂投产运行一段时期后需改、扩建时,一般10(6)kV配电装置均有所增加,故需留有一定的备用位置。而工艺设备调整,有时由于电机容量变更等原因会引起电机容量及电压等级的改变,因此为减少改造时间,有必要备用配电设备。

14.1.8 同一工艺系统由同一台变压器供电,主要是考虑供电系统出故障时,可采用适当的应变措施,尽量减少对生产的影响。

变压器负荷率不宜过高或过低符合经济运行和节能要求。

14.2 配　　电

14.2.1 根据国家节能要求,6kV将逐渐被10kV替代,因此新建选煤厂高压设备应采用10kV电压等级,如10kV供电确有困难,才可采用6kV电压等级。高压电机如采用变频器供电,经技术经济比较合理时,也可采用6kV电压等级。

采用660V配电可减少线路损耗,节约有色金属,符合国家节能减排的要求。选煤厂的规模划分见本规范第2.0.1条。

14.2.2 当使用660V电压等级时,采用在变压器660V侧中性点与地之间接入电阻的方法来降低系统的单相接地电流,以提高供电的可靠性和安全性。接地电阻的选择要使系统产生的单相接地电流与所选用的漏电保护装置相配合,为防干扰,不宜使单相接地电流太小(一般不要小于 100mA)。当单相接地需要动作于信号时,还应校核带电设备外壳的对地电压,使之在安全范围内。

14.2.3 原煤系统停电将影响矿井正常生产;装车系统停电会使铁路装车不能按时、按计划完成,影响铁路车辆周转,故需增强以上两个系统电源的可靠性。

浓缩机停电半小时以上,如不放料将可能出现压耙事故,也应提高供电电源的可靠性。

14.2.4 由于变压器二次侧电流较大,采用母线供电更经济合理。特殊情况也可采用电缆。

14.2.5 选煤厂投产后,工艺设备往往有所调整,常常需要增加一些配电回路,有时由于电机容量变更等原因也会引起回路容量等级的改变,因此配电设备及位置留有适当备用量是必要的。

14.2.9 选煤厂所有生产场所不包括化验室、煤样室、办公楼、集控室、配电室、变压器室等场所。

14.2.10 据调查,对于控制 10kV、6kV 电动机起、停的中压开关柜,若采用断路器,其触头及元件本身易损坏,需经常检修,影响安全运行。采用 10kV、6kV 真空接触器后,以上弊病就可消除,且该装置的维护费用很低,运行也安全可靠。

14.3 照　　明

14.3.1 经调查,选煤厂设备大型化后,设备起动时引起母线电压波动较大,常出现光源烧毁和照度不稳定等现象,所以新建选煤厂宜采用动照分开的供电方式。小型选煤厂设备较小,设备起动时对电网冲击较小,共用变压器比较经济,可采用动照合一的供电方式。但照明最好由独立馈电线供电,以保持相对稳定的电压。

14.3.2 选煤厂主要生产车间是布满机械设备的高层建筑物,若完全失去照明,运行或巡检人员撤离现场较困难。因此,主要车间内有两个照明电源且在生产车间的主要出入口、楼梯间设疏散照明是必要的。

选煤厂一般不单独设置消防控制室，而是与集中控制室合用。为满足国家现行防火规范的要求，配电室、集中控制室备用照明的照度仍应保持正常照明的照度值。

应急照明包括疏散照明、安全照明和备用照明。

14.3.3 选煤厂照明标准值是参照国家现行标准《建筑照明设计标准》GB 50034、《港口装卸区域照明照度及测量方法》JT/T 557中工业各建筑照度值和选煤厂目前普遍采用的实际值制订的。选煤厂实际照明设计还应考虑大型设备阴影，增加局部照明。

14.4 防雷和接地

14.4.1 根据现行国家标准《建筑物防雷设计规范》GB 50057、《爆炸危险环境电力装置设计规范》GB 50058和现行煤炭行业有关防火规范的相关规定，界定选煤厂建(构)筑物的防雷分类。

14.4.3 建筑物内各电气系统如单独接地，发生故障时，各电气系统间将出现电位差而产生种种电气危害，不同接地导体间的耦合影响又难以避免，会引起相互干扰。因此相关国家标准中均要求采用联合接地方式。

14.5 控　　制

14.5.1 由于选煤厂主要工艺流程为连续性生产过程，因此需设置电气连锁装置构成连锁线，确保生产和安全。集中控制时，连锁线中设备起动和停止的程序应按工艺要求确定，并配以必要的信号系统，要避免同时起动的设备负荷过大造成起动电压过低和物料堆积。

选煤厂各主要生产环节一般都有各自的独立性，可将它们分成若干独立系统进行集中控制，如：原煤、分选、煤泥水、干燥及装车等。

由于现行国家标准《煤炭工业矿井设计规范》GB 50215 所规定的矿井日提煤时间与选煤厂日工作小时数不同，接受矿井直接来煤的选煤厂必须设置原煤储存设施。此时原煤系统与分选系统的划分点为原煤储存仓或原煤储煤场，仓上（或储煤场来煤）设备为原煤系统，仓下（或储煤场返煤）设备为分选系统。

14.5.2 本条第 2 款涉及人员和设备安全，为强制性条款，必须严格执行。

14.5.3 目前，生产系统控制已普遍采用集中控制方式，集中控制方式具有集中/就地两种控制方式，并且无论集中控制方式还是就地控制方式均通过可编程序控制器完成。可编程序控制器在控制系统中至关重要，因此无论大小选煤厂可编程序控制器的 CPU 均需备用。由于冗余配置和冷备投资相差较大，所以建议中型及以上选煤厂可编程序控制器的 CPU 采用冗余配置，小型选煤厂采用冷备。

14.5.5 由于在实际中很难得到真正意义上的两回电源，电网的各种故障都可能引起全部进线电源同时失去电源，造成停电事故。因此对于作为全厂控制中心的集中控制室应增加在线不间断备用电源（UPS），保证在极端情况下，也不丢失重要数据。

控制系统的远程站一般设在输入/输出数据集中的配电室内，远程站的电源也就近引自相应配电室内，由于设备起动会造成母线电压波动，并且母线上还有诸如变频器等谐波源，会对控制系统造成干扰，因此应配置净化电源装置。

14.5.7 本条没有对柜、屏、台前后的运行、维护、操作场地及左右通道给出具体的数值，设计时可参考低压配电柜柜前、后及左、右的距离。操作台距显示屏（包括投影幕、液晶拼接屏、电视墙等）的距离应使操作人员看着清楚、舒适。

14.6 自　动　化

14.6.1、14.6.2 自动化装置与集控系统紧密相连，孤立的自动化装置不能满足集中监控和运行管埋的需要，所以要求自动化装置与集中控制系统联网。

本条取消了一些传统的自动化项目，如带式输送机配仓、给料机轮换给料、水泵控制及液位、料位控制，因这些项目在集中控制系统中均可实现。

14.7 监测及保护

14.7.1、14.7.2 选煤厂的监测系统以工业微型计算机为核心，与数据采集装置和一次传感仪表构成硬件系统，并配有层次、模块化软件系统，适时地采集工艺流程中主要设备的运行状态和煤、水、电、油及煤仓煤位和主要生产水池的水位等数据，旨在向调度、管理人员提供设备运行状态、有关工艺参数及原煤和产品煤的数量、质量数据，使选煤厂的生产处于能耗低、收益高的较理想状态。

选煤厂带式输送机应全部设置拉绳开关，栈桥内的拉绳开关应设置在人行道侧，两侧均为人行通道的带式输送机应在带式输送机两侧设置拉绳开关；厂房内布置的带式输送机两侧均应设置拉绳开关。拉绳开关的数量应根据输送机长度及拉绳开关的有效拉绳长度确定。

对于角度小、细长、输送量大的易发生堵塞的溜槽也应设置溜槽堵塞保护。

14.8 通　　信

14.8.1 生产调度通信系统是生产的指挥中心，需要及时处理各种生产技术问题。必须实现调度员能随时与任何一个通信系统内的电话建立联系，不受被叫摘机、占线等影响。所以本条规定行政电话和生产调度电话应分别设置。

14.8.5 由于选煤厂自动化水平已大大提高，由过去的岗位工作制发展到目前普遍采用的巡检工作制，通信手段应满足生产需要，与控制系统相适应。除应在主要岗位设置固定电话外，还应配置移动通信设备，以方便巡检人员通信联络。

14.9 工业电视系统

14.9.1 工业电视系统为管理者提供大量丰富的视频画面，可以直观地了解系统运行状况，是有效的辅助管理手段，因此在进行选煤厂设计时，只要条件允许，就可设置工业电视系统。

14.10 控制网络及计算机信息管理系统

14.10.1 网络拓扑结构应根据选煤厂规模、总平面布置、采用的控制设备及建设方的具体要求等各种条件综合考虑确定，可以采用星形、环形及组合形式的拓扑结构和双网、环网及组合网的冗余方式。

14.10.3 为保证选煤厂生产系统正常运行，应确保集中控制系统与自动化网络的安全。本条规定集中控制及自动化网络应与选煤厂计算机信息管理网络采取物理隔离设施。具体措施可以根据不同条件，采用硬件防火墙、中间服务器等措施。

15 给水与排水

15.1 水　　源

15.1.1 多年来，一些项目由于在水源确定前没有对水源进行供水水文地质勘察，包括不同设计阶段所对应的供水水文地质普查、详查和勘探，没有进行水资源论证，没有对水源的可靠性进行综合评价，以致在水源工程建成后，发现水量不足或出现因过量开采地下水造成地面沉陷的现象。因此规定在选择水源前，应对水源进行认真勘察。

15.1.2 水源选择的原则是确保水量可靠和水质符合有关标准要求，这是首要条件。由于地下水水源不易受污染，水质一般较好，当其水质满足生活饮用水的有关规定时，宜优先考虑采用地下水作为生活饮用水源，但同时必须注意煤矿开采对地下水源的影响。为了节约水资源，应优先利用经处理后的井下排水、露天矿疏干排水、生活污水复用水和电厂冷却水作为生产用水。

应充分利用各种有限的水源。如在生活饮用水缺乏地区，可利用经处理后的井下排水和露天矿疏干排水，再经深度处理后，作为生活饮用水使用；但这需要经过详细的技术经济比较后，方可确定。再如，对严重缺水地区，可对雨水进行合理利用。但由于各地降雨量、降雨分布状况等情况差别很大，需根据具体情况掌握。

15.1.3 为节约用水，根据不同用户对水量、水质的不同要求，可进行分用户、分质供水。根据地形及建筑物高度的不同等因素，可根据实际情况，考虑采用分区供水的方案，以达到节能的目的。设置回用水系统是指将处理后的生活污水作为对水质要求不高的杂用水使用，以达到分质供水的目的。

根据现行行业标准《选煤厂洗水闭路循环》MT/T 810，选煤厂洗水闭路循环分为一级、二级、三级共三个级别，其水重复利用率均要求达到90%以上。这也符合现行国家标准《污水综合排放标准》GB 8978 的有关规定。

15.1.4 非常规水源日供水能力富裕系数的选择，当设计日用水量较大时，可采用较小的富裕系数；反之，可采用较大的富裕系数。

15.2 室外给水排水

15.2.1 对常规水源和非常规水源的主要生产、辅助生产和附属生产用水定额分别做出具体规定，以利于实际操作。

主要生产用水指选煤直接用水，辅助生产用水包括设备冷却水、泵类设备的轴封水、除尘降尘用水、锅炉补充水等与选煤生产相关的用水，附属生产用水包括绿化、道路浇洒、浴室、食堂、厕所等用水。

15.2.2 绿化、道路浇洒等附属生产用水定额，原则上与现行国家标准《建筑给水排水设计规范》GB 50015 保持一致，只是对该规范中未做明确规定的给予补充。

生活热水用水定额应按现行国家标准《建筑给水排水设计规范》GB 50015 的有关规定执行。

15.2.3 主要生产用水定额应根据选煤工艺流程图上的洗选系统补加水量确定。需要说明的是，选煤工艺流程图未考虑室内湿式除尘用水、蒸发等因素对洗选系统补加水量的影响。

表 15.2.3 中，真空泵、空气压缩机及其他需要冷却设备的冷却用水应循环使用；水泵轴封及冷却水的用水定额按具体水泵型号而定；室内湿式除尘的用水定额按具体喷嘴型号、规格而定；室外储煤场洒水除尘的用水定额按具体喷枪或喷雾器的型号、规格而定；室外储煤场洒水除尘的用水时间可根据实际情况确定。

15.2.4 在现行国家标准《建筑给水排水设计规范》GB 50015 中，“停车库地面冲洗水的最高日用水定额”规定为“2L/(m^2·次)～

3L/(m^2·次)”。结合选煤厂的具体情况，本条将湿煤及矸石生产系统的室内地面冲洗给水定额比照“停车库地面冲洗水的最高日用水定额”，定为2L/(m^2·次)～3L/(m^2·次)；将原煤和干煤产品(除矸石外)生产系统按“停车库地面冲洗水的最高日用水定额”的2倍，定为4L/(m^2·次)～6L/(m^2·次)。同时，补充制订了冲洗次数和冲洗时间的数据。

15.2.5 本条沿用原规范的规定，同时也符合现行国家标准《建筑给水排水设计规范》GB 50015的有关规定。

15.2.6 本规范中涉及消防的内容，本次修订均予以删除。有关选煤厂消防设计内容，可按现行煤炭行业有关防火规范执行。

15.2.8 选煤厂需要冷却的设备有水泵(包括真空泵)、空气压缩机等。

如果冷却水的硬度高，则会在设备内部结垢，使设备运行效率降低，所以要控制冷却水的硬度。还要防止因水质造成的腐蚀，保证设备的正常运行。

本次修订根据现行国家标准《煤炭工业污染物排放标准》GB 20426的有关规定，将原规范表中的pH值指标不小于6.5，不大于9.5修改为“6.5～9.0”。同时，将“悬浮物含量指标(mg/L) 100～150”修改为“≤50”。

15.2.9 选煤用水的水质指标是重要的生产用水指标。

当生产清水中的悬浮物含量过大时，有导致水泵轴封填料被阻塞的危险。

当循环水的水质不好，其悬浮物含量过大时，会导致精煤灰分增高，直接影响产品煤的质量。

选煤用水的pH值很重要。当浮选药剂中的起泡剂(如松根油)遇到碱性水时，容易起皂化反应。另外，当pH值过低时，将会影响捕收剂(如轻柴油)的效能。pH值过低，还会腐蚀设备和管道。因此选煤用水的pH值应与天然水保持一致。一般天然水的pH值在6～9之间，多数呈弱碱性。

15.2.10 生产、生活事故储备水量按3h的最大生产、生活小时用水量考虑。原因如下：

(1)当水源地或自水源地的输水管路发生一般性故障时，在3h内可以得以修复。

(2)虽然更多的事故储备水量可以提高选煤厂的生产、生活给水的可靠性；但计算小时参数过大，会导致水池容积过大，造成不经济的状况。

(3)在选煤厂的以往设计中，一直按照3h的最大生产、生活小时用水量考虑，至今从未出现问题。因此认为本条的规定是可行的。

关于调节水量的问题，根据我国有关给水资料，城镇中高位水池、水塔的调节水量一般占日用水量的6%～8%。考虑到选煤厂的用水均衡性低于城镇的特点，所以酌情加大了调节水量占日用水量的比例。

15.2.12 矿井、群矿和用户选煤厂由于与主体工程位于同一工业广场，生活污水处理设施可与主体工程统一处理，可不单建生活污水处理设施。

15.2.13 由于选煤厂工业场地污染较严重，所以其地面排水不宜采用暗管方式，以避免出现煤泥在暗管内长期淤积而难以清理的问题。另外，如果煤泥在暗管内沉积，会减小暗管水流断面，不利于暴雨的及时排除。

当选煤厂中所有煤处理环节均在封闭构筑物内进行，工业场地不会受到煤的污染时(如没有运输原煤或干煤产品的车辆在工业场地内通行，厂区内无干煤产品的汽车装车点等)，方可考虑采用暗管方式。

15.3 室内给水排水

15.3.1 室内地面(地板)冲洗排水因含有煤泥，宜在各车间分别沉淀后，再以压力排水方式排出，以避免煤泥在管道里的沉积。

各车间底部的集水坑宜分为两格，第一格作为预沉池，第二格作为排水泵吸水井。冲洗排水集中水池存在沉泥问题，不好彻底解决，故不推荐采用冲洗排水集中水池作为中转措施使用。

15.3.3 由于单管热水淋浴系统具有形式简单、使用方便、温度易于调节和控制等特点，因此推荐在选煤厂浴室中采用单管热水淋浴系统。

居住区和其他场合的浴室的淋浴设施，不在本规范管辖范围内。

15.3.7 本条是参考现行国家标准《建筑给水排水设计规范》GB 50015中“小区生活排水定额取其相应的给水定额的85%～95%”而制订的。

16 供暖与通风

16.1 供　　暖

16.1.1 以热水为热媒的供暖系统与蒸汽供暖系统相比有许多优点，尤其在供热稳定性和节能方面更加突出，因此供暖系统应优先采用热水为热媒。

16.1.2 室外空气计算参数直接影响到供暖热负荷计算的准确性，因此在有条件的情况下，应尽可能采用当地气象台站提供的最近30年的气象数据。

16.1.5 随着自动化水平的提高，现代选煤厂的建设规模越来越大，而劳动定员越来越少，建筑物供暖室内计算温度直接影响到工程投资和供暖系统的运行费用。本条结合选煤厂的生产工艺特点和实际运行需要，对主厂房、压滤车间、浮选车间等建筑的供暖室内计算温度进行了合理调整。

16.1.6 建筑物供暖热负荷指标仅作为可行性研究和初步设计阶段估算建筑物供暖热负荷时参考，施工图设计阶段必须对每一个房间或区域进行热负荷计算。

表16.1.6中的准备车间即筛分破碎车间，装车仓包括原煤仓、矸石仓及中间产品仓，介质准备车间包括介质库。

16.1.7 辐射供暖在选煤厂的应用并不普遍，因此不再作为推荐的供暖方式提出。按照现行国家标准《民用建筑供暖通风与空气调节设计规范》GB 50736的规定，对选煤厂诸如机修车间、材料库等大空间建筑的供暖方式提出了解决方案。

16.1.8、16.1.9 选煤厂主厂房、准备车间、机修车间等建筑物的主要通道大门开启频繁，冷风侵入量很大，依照现行国家标准《民用建筑供暖通风与空气调节设计规范》GB 50736的规定，对热空气幕的设置及送风方式提出要求。

16.1.10 热电厂和区域锅炉房一般供热规模较大，具有设备自动化水平高、热效率高、供热稳定性高等许多优势，因此在条件允许时选煤厂应优先采用热电厂和区域锅炉房作为供热热源。

16.2 通风除尘

16.2.1、16.2.2 整个建筑物内有大量余热和余湿产生时，应首先选择自然通风方式；而当建筑物内仅有局部区域或设备产生余热、余湿及有害物质时，则宜设置局部排风系统。

16.2.4 生产调度中心、集控室是选煤厂生产系统的控制中心，设备发热量大，对室内空气环境要求较高，设置空气调节设施有利于提高设备运行的稳定性。

16.2.5 本条对原料煤来自瓦斯矿井时，煤仓、封闭式储煤场、受煤坑、输煤地道的通风换气次数和通风方式进行了规定。煤仓和封闭式储煤场的通风首先应以自然通风为主，受煤坑和输煤地道位于地下，则应设置机械通风。

近年随着煤炭产量的不断增加，大型、特大型选煤厂越来越多，为保证生产的持续性，大型、特大型选煤厂普遍采用储煤场作为原煤和产品的储存。储煤场的输煤地道位于地下，可靠、有效的通风是保证输煤地道内空气环境的必要手段。

在《煤炭工业供热通风与空气调节设计规范》GB/T 50466—2008 发布实施之前，储煤场输煤地道的通风量是依据《煤炭工业半地下储仓设计规范》MT/T 5022—1998 确定的，即：设备密闭采用湿法除尘，其排风小时换气次数不宜小于 6 次；设备不密闭，其排风换气次数不宜小于 15 次；在设备密闭的基础上设置抽出式通风，其排风换气次数为 1.0～1.5 次。多年来，按照该规范要求进行的输煤地道通风系统设计，在通风设备正常运行情况下，地道内空气环境能够满足要求。出现个别地道内空气环境较差的，也主要是因为除尘系统运行不正常，或设备维护不到位造成。

2009 年起实施的《煤炭工业供热通风与空气调节设计规范》GB/T 50466—2008，对输煤地道的通风推荐按照换气次数 15 次/h 计算，对受煤坑的通风推荐按照换气次数 12 次/h 计算。在实际工程中，大型储煤场的输煤地道往往长达数百米，按照 15 次/h 计算，通风量和冬季的通风耗热量都非常大，通风管道占用输煤地道空间过大，常常影响到设备的维护和检修，而且也不符合建筑节能要求。

2010 年 8 月起实施的《工业企业设计卫生标准》GBZ 1—2010 第 6.1.5.2 条规定，在生产中可能突然逸出大量有害物质或易造成急性中毒或易燃易爆的化学物质的室内作业场所，应设置事故通风装置及与事故排风系统相连锁的泄漏报警装置。事故通风宜由经常使用的通风系统和事故通风系统共同保证，但在发生事故时，必须保证能提供足够的通风量。事故通风的风量宜根据工艺设计要求通过计算确定，但换气次数不宜小于 12 次/h。

储煤场输煤地道内，带式输送机、振动给料机等设备运行过程中，一般都会有煤尘产生，对煤尘的防治应首先依靠有效的密闭和除尘、抑尘措施，机械通风的作用主要是为排除输煤地道内积聚的少量瓦斯、CO_2、水蒸气等有害气体，而不应作为排除煤尘的主要手段。结合现有储煤场输煤地道实际运行经验，以及《煤炭工业半地下储仓设计规范》MT/T 5022—1998 和《工业企业设计卫生标准》GBZ 1—2010，将受煤坑、输煤地道的通风量统一修订为不小于 12 次/h。输煤地道的通风由经常使用的通风系统和事故通风系统共同保证，既可保证必要时最大通风量，又可减少经常通风状态下的通风耗热量。

气流方向和输送机运行方向一致，可降低两者之间的相对速度，减少煤尘产生。如果受到条件限制，气流方向和输送机运行方向必须相反时，则应保证两者相对速度不大于 4.0m/s。

16.2.6 为使送入室内的空气保持清洁，对机械送风系统进风口的布置做了相应要求。

16.2.7 以原煤外在水分7%作为设置防尘、降尘、除尘装置的分界线，多年来的应用结果证实是合适的。随着技术的进步，近几年高效率、低能耗的新型防尘、降尘、除尘装置不断被开发和利用，除尘方式已不再局限于单一的机械除尘。

16.3 室外供热管道

16.3.1 热力管道建成后一般要运行相当长的时间，这期间，随着企业的发展及生产工艺、生产规模的不断调整，所需热负荷都在逐步增加，在热力管道设计时，除按当时的设计热负荷进行计算统计外，对于近期已经明确的，或可能增加的热负荷，以及其种类、数量、位置等，设计中也应予以考虑。

16.3.2 通常情况下蒸汽供热管网采用枝状系统都能满足使用要求，且具有投资低、占地面积小等优点。对于热源位于供热负荷中心，用汽点较少且管网短、供热量不大的厂区，为了便于控制，也可采用辐射状管道系统分别供热。

16.3.3 热水供热管网采用同程式系统虽然有利于管网的水力平衡，但并不能从根本上消除管网的水力失调，反而增加了工程投资，要解决水力失调问题。必须从各用户入口处采取流量控制、压差控制等调节措施，因此通常情况下供热管网采用异程式布置更加合理。

16.3.4 管径太小的管道，运行时易被管内脏物堵塞，且不易清理，因此设计中采用的最小管道公称直径不应小于25mm。

16.3.5 蒸汽凝结水的回收利用是节约能源和有效利用水资源的重要措施，也是国家相关法律、法规的基本要求。

16.3.6 供热管道的敷设方式要兼顾安全、经济、美观、便于维护等多方面因素。供热管道采用直埋敷设具有投资低、占地面积小、美观、维护量少、热损失小等优点，目前，无论是高温热水管道，还是供热蒸汽管道，直埋敷设的技术和经验也都已成熟，因此条件满足时应优先选用直埋敷设。

16.3.8 按照现行国家标准《锅炉房设计规范》GB 50041 的规定，对通行地沟和半通行地沟检查井之间的间距进行了规定，超过规定距离时应设置人孔，一是为了检修人员的安全疏散，二是便于检修人员的通行。人孔口高出地面不小于 0.15m，是为了防止地面水流入沟内。

16.3.9 地沟内温度一般比较高，如果地沟渗水，在高温下水分蒸发，造成地沟内湿度增大，易使管道、管道附件、保温层等腐蚀损坏，因此在设计地沟时，应尽可能防止地下水和地面水渗入地沟，同时根据地形情况使地沟保持足够的排水坡度。

16.3.10 为确保安全，热力管道不允许与易挥发、易燃、易爆、有害、有腐蚀性介质的管道同沟敷设，不能与惰性气体同沟敷设，是为了保护检修人员的人身安全，避免检修时造成人员窒息现象的发生。

17 建筑物与构筑物

17.1 一般规定

17.1.1 本条是针对部分工程在原始资料不全的情况下进行设计而强调的。

17.1.2 本条根据现行国家标准《混凝土结构设计规范》GB 50010 中既有结构设计原则提出。

17.1.5～17.1.7 选煤厂生产、运输、储存物品的火灾危险性类别，厂房、仓库的耐火等级，建(构)筑物疏散及安全出口的设置，建(构)筑物楼面均布活荷载在现行国家标准《建筑设计防火规范》GB 50016、《选煤厂建筑结构设计规范》GB 50583 和现行煤炭行业有关防火规范中均有具体规定。

17.1.8 检修道、人行道的宽度系指净宽。在工艺专业布置时要考虑相关专业电缆桥架、水管、供暖设备及管网所占位置及空间。表 17.1.8 中给出的检修通道和人行通道不包括厂房内疏散走道。厂房内疏散走道、疏散楼梯净宽度在现行煤炭行业有关防火规范中给出。

17.2 主要建筑

17.2.1 高仓一般比低仓要经济些，设计时要考虑工艺布置和地基强度，按照现行国家标准《钢筋混凝土筒仓设计规范》GB 50077 进行设计，本规范只提出设计原则。

17.2.2 本条对主厂房、重介、浮选、干燥、压滤和准备车间的设计做出规定。

1 由于选煤厂各厂房具有设备荷载大、物料重、动荷载多等特点，考虑抗震设防的要求及地基条件的不同，无论采取何种结构形式的厂房，都应力求规则整齐。

2 如果设计生产能力1.5Mt/a及以上的厂房高度在20m以下，且厂房空间开阔，用一台桥式吊车即可满足日常维修及生产所需配件的运输，可不设客、货两用电梯。

3 选煤厂的主要厂房大部分为多层厂房，楼层上往往设有多台具有动荷载的设备，会引起楼层的振动，对直接承受动荷载的结构构件不利，并在一定程度上影响操作人员的正常工作，损害了操作人员的健康。因此在设计中一定要对承受动荷载的结构进行动力计算，把结构的振幅和受迫振动频率控制在规定的范围之内，以保证结构的安全和操作人员的正常工作。

最实用的计算方法是将设备荷载乘以相应的动力系数，按静力进行计算，动力系数应根据设备的类型和型号确定，并且随着设备型号的更新而改变。

4 主要厂房内各楼层的洞孔很多，为了防止楼面冲洗时的污水和生产中的废渣流到下层，进而影响环境，甚至危及安全，应在洞孔边设置挡水堰。

5 以往布置在主厂房内的集中控制室多因设备振动受影响，特提出宜与主体结构分离；集中控制室内的设备和工作条件都要求有一个较卫生、安静的环境。为防止车间内粉尘和噪声的干扰，有必要设置密闭门和中空玻璃隔音窗，室内地面应采用不易起尘的建筑材料。

6 厂房内产生噪声的设备很多，个别噪声很大的设备，严重影响到整个厂房的工作环境，对操作人员的身心健康有很大损害，因此在噪声较大的楼层上应设隔音操作室，采取墙面贴吸声材料等措施。

7 浮选车间内各种油剂、药剂的挥发气味较大，危害操作人员的健康，因此应有良好的通风环境。

17.2.3 本条保留了原规范的相应条文，并与现行煤炭行业有关防火规范相一致。

17.2.4 随着选煤厂规模的扩大，浓缩池的直径及深度都在加大，裂缝的控制是设计的主要问题之一，预应力钢筋混凝土池壁可以满足裂缝控制的要求。

沉淀塔重心比较高，支承结构宜采用钢筋混凝土结构，但应结合抗震设计来确定。

17.2.5 栈桥支撑结构不但根据栈桥的支撑高度，也应结合总平面布置、整体建筑风格及总投资情况确定采用相应的结构形式。

露天矿及外来煤的原煤栈桥以及非严寒地区，栈桥的上部建筑可采用敞开或半敞开式。

栈桥的支架结构埋入储煤堆中时，煤堆将对框架柱、梁产生侧向压力，且很难确定侧向压力的具体数值；其次，埋入煤中框架由于煤的冲击碰砸、推土机大铲的撞击，使框架很容易发生缺角、露筋、变形、开裂。另外，煤的自燃会降低混凝土的强度，严重地影响结构的安全。

带式输送机栈桥内现在多用水进行冲洗，楼板留缝处均应设挡水堰、水槽或地漏，使冲洗水有序流动。

17.3 辅助建筑

17.3.1～17.3.4 选煤厂行政、公共建筑及辅助建筑项目及建筑面积指标，实际实施时不同建设方的要求差别较大，建设单位多数根据自己的需要来确定建筑项目及建筑面积。但在可行性研究及投标设计阶段，建设单位都要求根据规范将各辅助建筑项目及面积列入总投资，本规范附录A中的指标是参考有关规范制订的，供设计参考。

18 技术经济

18.1 一般规定

18.1.1、18.1.2 这两条规定了选煤厂技术经济的基本要求。

18.2 劳动生产率

18.2.1 生产工人包括岗位工和巡视工，管理人员包括行政人员和技术人员，生产工人和管理人员均属生产必备人员，应计入劳动定员。服务人员和其他人员属非生产人员，应尽可能利用社会或社区人力资源；即使配备了服务人员和其他人员，也不应计入劳动定员。

选煤厂劳动定员可按下列办法确定：

(1)初步可行性研究可参照同类选煤厂，结合本选煤厂具体条件类比分析计算；

(2)可行性研究可按岗位定员计算；

(3)初步设计应定岗定员计算。

选煤厂管理人员占选煤厂生产工人出勤人数的百分比可按以下比例控制：

矿井、群矿及用户选煤厂不大于8%，中心、矿区选煤厂不大于14%。

选煤厂如配备服务人员和其他人员，则服务人员占选煤厂生产人员在籍人数的百分比可按以下比例控制：矿井、群矿及用户选煤厂不大于6%，中心、矿区选煤厂不大于9%。其他人员占选煤厂生产人员在籍人数的1%。

由于近年来国家规定的法定假日增加及带薪休假制度的实行，原规范规定的不均衡系数已不符合实际情况。因此，本次修订对生产工人在籍系数根据实际情况进行了修改。

在籍系数考虑了节假日、带薪休假（年休假）、病假、事假、轮休等因素。我国法定节假日元旦1天，春节3天，清明1天，“五一”1天，中秋节1天，国庆3天，职工带薪休假按10天/（人·年）计算；法定工作时间40小时/周，即5天/周。由此可知，设备运转330天/年，工人工作240天/年，维持设备正常运转需要生产工人在籍系数最小为330/240＝1.38；如果按365天都可能开车考虑，则在籍系数最大为365/240＝1.52。因此生产工人在籍系数取1.4～1.5。

管理人员可正常休假，也可轮休，故在籍系数取1.0。

18.2.2、18.2.3 这两条规定了劳动生产率的计算方法及全员效率指标。公式18.2.2-2中的“每日生产人员出勤人数”包括生产工人和管理人员。选煤厂全员效率指标考虑了技术进步和生产实际因素，供参考。

18.3 投资估算及概算

18.3.1～18.3.4 这几条规定了选煤厂投资计算的基本要求。

18.4 经济评价

18.4.1～18.4.3 这几条规定了选煤厂经济评价的基本要求。